história da **Pedagogia**

Lev Vigotski

Precursor da teoria histórico-cultural

A importância da cultura
e da linguagem na
constituição do psiquismo

Teresa Cristina Rego - Organizadora

1ª edição
São Paulo, 2018

Editora Segmento

Dados Internacionais de Catalogação na Publicação (CIP)
(Câmara Brasileira do Livro, SP, Brasil)

Lev Vigotski : percursor da teoria
histórico-cultural : a importância da cultura e
da linguagem na constituição do psiquismo /
Teresa Cristina Rego, organizadora. -- 1. ed. --
São Paulo : Editora Segmento, 2018. --
(História da pedagogia)
Vários autores.
Bibliografia.
ISBN 978-85-89636-29-2
1. Consciência 2. Educação - História 3. Linguagem
4. Pedagogia - História 5. Psicologia educacional
6. Teoria histórico-cultural 7. Vigotski, Lev
Semenovich, 1896-1934 I. Rego, Teresa Cristina.
II. Série.
18-19110 CDD-370.9

Índices para catálogo sistemático:
1. Educação : História 370.9
2. Pedagogia : História 370.9
Cibele Maria Dias - Bibliotecária - CRB-8/9427

Introdução

CULTURA E PSIQUISMO

Este volume da coleção História da Pedagogia é dedicado à reflexão sobre o legado do bielo-russo Lev Semionovitch Vigotski* (1896-1934), expoente no estudo da natureza humana no século XX e um dos principais fundadores da chamada psicologia histórico-cultural.

Sua originalidade como investigador, sua erudição e interesse em dialogar, seu espírito independente e o esforço para compreender o sujeito em sua historicidade e complexidade transformaram e ultrapassaram o estado de conhecimento de seu tempo.

Falecido há mais de oitenta anos, seus estudos fundados no materialismo histórico-dialético, com o propósito de compreender o desenvolvimento psicológico como um processo histórico e a natureza cultural do psiquismo, ainda despertam a atenção de pesquisadores de diferentes áreas do conhecimento) entre elas, psicologia, neurologia, linguística e educação). Vários textos de sua ampla produção (cuja publicação foi proibida na ex-URSS stalinista), elaborada num período de vida bastante curto e em circunstâncias políticas e sociais turbulentas, têm sido traduzidos em várias partes do mundo até o momento.

No Brasil, o contato com sua obra teve início nos anos 1980. Desde então, é notável a rapidez com que suas ideias no campo da educação foram difundidas, valorizadas e, em certos casos, banalizadas. Smolka e Magiolino, em um dos capítulos aqui publicados, analisam o tema: "Falar de Vigotski hoje adquire já um sentido de lugar comum. A divulgação de seu trabalho, sobretudo nas três últimas décadas, tem colocado em destaque ideias e conceitos como a natureza social do desenvolvimento humano, o papel do outro, a mediação semiótica, a Zona de Desenvolvimento Proximal. [...] Qual a atualidade de suas ideias? O que faz diferença na sua proposta? Quais as implicações de seu posicionamento teórico?"

Os autores dos textos aqui reunidos dão respostas, ainda que parciais, a essas questões e oferecem ao leitor informações sobre a vida e a obra do autor, trabalhos contemporâneos inspirados em seus postulados, alguns excertos de sua autoria e uma análise sobre seus títulos publicados no Brasil.

Espero que este conjunto de ensaios possa levar a um público mais amplo - de modo rigoroso, porém acessível-, as ideias de um autor tão revolucionário, instigante e inspirador como Lev Vigotski.

Vale informar que o conteúdo do presente livro foi originalmente publicado como um dos fascículos da Série História da Pedagogia, coleção especial da Revista Educação - Editora Segmento. Tal série – editada por Rubem Barros e por mim concebida e coordenada - foi vendida em bancas e livrarias de todo o país durante o ano de 2010, com expressiva receptividade do público leitor. Esta é a principal razão que nos motivou a publicar os textos das revistas em forma de livros.

Teresa Cristina Rego é professora
da Faculdade de Educação da USP

*Em razão das diferentes formas de transliterar os fonemas da língua russa para as línguas ocidentais, os nomes próprios utilizados nos diversos artigos foram padronizados. Optou-se pelas grafias adotadas por Zoia Ribeiro Prestes (2010), estudiosa das traduções dos textos de Vigotski.

REVOLUCIONÁRIO INQUIETO

por Marta Kohl de Oliveira e Teresa Cristina Rego

Materialista histórico e dialético, Vigotski buscou um modo mais abrangente de estudar os processos psicológicos humanos. Fez uma rigorosa revisão crítica da história e da situação da psicologia na Rússia e em outras partes do mundo

O bielo-russo Lev Semionovitch Vigotski foi professor e pesquisador nas áreas de psicologia, pedagogia, filosofia, literatura, deficiência física e mental, atuando em diversas instituições de ensino e pesquisa. Ao mesmo tempo em que lia textos em diversas línguas, escrevia e ministrava conferências. Inquieto e obstinado, dedicou sua vida ao esforço de romper, transformar e ultrapassar o estado de conhecimento e reflexão sobre o desenvolvimento humano de seu tempo.

Sua produção escrita foi vastíssima para uma vida muito curta (morreu com 37 anos, vítima de tuberculose) e seu interesse diversificado e sua formação interdisciplinar definiram a natureza dessa produção. Escreveu aproximadamente 300 trabalhos científicos, cujos temas vão desde a neuropsicologia até a crítica literária, passando por deficiência física e mental, linguagem, psicologia, educação e questões teóricas e metodológicas relativas às ciências humanas.

A tuberculose e o fato de saber que teria uma vida tão curta marcaram, de certa forma, o estilo de seus textos: densos, cheios de ideias, numa mistura de reflexões filosóficas, imagens literárias, proposições gerais e dados de pesquisa que exemplificam essas proposições. Sua produção escrita não chega a constituir um sistema explicativo completo, articulado, do qual pudéssemos extrair uma "teoria vigotskiana" bem estruturada. Não é constituída, tampouco, de relatos detalhados dos seus trabalhos de investigação científica, por meio dos quais o leitor pudesse obter informações precisas sobre seus procedimentos e resultados de pesquisa. Também devido a sua enfermidade, muitos dos seus textos não foram originalmente produzidos na forma escrita, mas criados oralmente e ditados a outra pessoa que os copiava, ou anotados taquigraficamente durante suas aulas ou conferências.

A publicação de suas obras foi proibida na ex-União Soviética, no período de 1936 a 1956, devido à censura do totalitário regime stalinista, e seus livros foram, por um longo período, ignorados no Ocidente. Começou a ser redescoberto a partir de 1956, data da reedição soviética do livro Pensamento e Linguagem. As ideias de Vigotski puderam ser (parcialmente) conhecidas no mundo ocidental a partir de 1962, data da primeira edição norte-americana desse mesmo livro. No Brasil o contato com seu pensamento foi ainda mais tardio: somente a partir de 1984, ano da publicação do livro A Formação Social da Mente.

A análise de seu percurso acadêmico e profissional permite identificar as marcas do contexto sociopolítico e cultural em que esteve inserido. Tanto o clima de renovação da sociedade soviética quanto os dilemas presentes na psicologia da época em que Vigotski viveu foram definidores de seu programa de trabalho. Como trataremos a seguir, o ambiente político e intelectualmente fecundo

CRONOLOGIA

1896
Nasce Lev Semionovitch Vigotski, em Orcha, na Bielorrússia, segundo filho de Semion Lvovitch Vigodski (1869-1931) e de Cecília Moiseevna Vigodskaia(1874-1935).

1897
Muda-se, com sua família, para a cidade de Gomel, na Bielorrússia.

1911
Ingressa pela primeira vez numa instituição escolar, após anos de instrução com tutores particulares.

da Rússia do início do século XX e o estímulo intelectual obtido na família certamente foram constitutivos do perfil estudioso, dedicado e criativo de Vigotski.

A FAMÍLIA E A INFÂNCIA

Lev Semionovitch Vigotski nasceu em Orcha, uma pequena cidade às margens do rio Dnieper, perto de Minsk, capital da Bielorrússia, em 17 de novembro de 1896. Em alguns textos a data de seu nascimento é outra: 5 de novembro de 1896. Essa divergência se explica pela mudança de calendário que houve na ex-União Soviética, em 1918 (pelo antigo calendário, 5 de novembro; e pelo atual, 17 de novembro). Um ano depois a família mudou-se para a cidade de Gomel, também na Bielorrússia, situada num território destinado aos judeus na Rússia czarista, onde Vigotski viveu até ingressar na universidade de Moscou, em 1913, e novamente depois de formado, em 1917. Foi, portanto, em Gomel que ele viveu os importantes anos iniciais de sua vida. Foi lá também que ele deu início à sua formação e carreira profissional.

A infância e a juventude de Vigotski transcorreram no período que antecedeu a queda do Império Russo, que, dentre outros aspectos, se caracterizava pela concentração de poder nas mãos do czar, sustentado pela aristocracia agrária. Mikhail Yaroshevsky faz uma interessante análise das aspirações e do clima político da Rússia pré-revolucionária bem como das repercussões das transformações que se anunciavam no ideário da população: "Uma revolução, causada por profundos processos socioeconômicos, era iminente.

1913
Após concluir o curso secundário, matricula-se na Faculdade de Medicina da Universidade Imperial de Moscou, mas logo transfere sua matrícula para a Faculdade de Direito. Nesse período passa a viver em Moscou.

1914
Começa a frequentar aulas de História e Filosofia na Universidade Popular de Chaniavski. Interessado no efeito da linguagem sobre os processos de pensamento, aprofunda seus estudos em psicologia, língua e literatura.

1916
Escreve A Tragédia de Hamlet, Príncipe da Dinamarca, como trabalho de conclusão do curso universitário. Mais tarde, em 1925, este texto dará origem ao livro Psicologia da Arte, publicado na União Soviética somente em 1965.

A vida espiritual da sociedade estava sendo instigada. A presença do colapso iminente da velha ordem se refletia na consciência da intelligentsia em diferentes tendências filosóficas e em reflexões atormentadas sobre sua própria relação com o povo privado de todos os direitos e sobre o destino futuro da Rússia. O surgimento do senso de dignidade pessoal depois da abolição da servidão colocou cada pessoa pensante numa situação de escolha moral". Essa nova consciência, por sua vez, se traduzia numa espécie de efervescência e entusiasmo com relação a tudo que dizia respeito à cultura e às suas diferentes formas de expressão. Segundo Yaroshevsky, "o desejo de liberdade criativa foi expresso no florescimento da literatura e da arte. Poesia, teatro e pintura carregaram a marca dessas transformações no espírito do tempo: foi a 'era de prata' das artes na Rússia. Essa foi a atmosfera espiritual em que a vida de Vigotski começou".

Sua família também lhe propiciou um ambiente bastante intelectualizado e instigante, com uma excelente biblioteca doméstica, além da disposição dos pais em debater com os filhos e seus amigos os mais diversos assuntos. Seu pai, Semion Lvovitch Vigodski (1869-1931), era chefe de departamento em um banco e representante de uma companhia de seguros. Era um homem culto e rígido, mas ao mesmo tempo irônico e de mentalidade aberta, que valorizava o universo dos livros e da cultura de modo geral. Graças a sua iniciativa, uma biblioteca pública foi aberta em Gomel. Sua mãe, Cecília Moiseevna (1874-1935), professora formada, mas que não exercia a profissão, também era uma pessoa culta, bem informada e que, como seu pai, dominava vários idiomas. Com ela, Vigotski

1917
No ano em que eclode a Revolução Russa, Vigotski, então com 21 anos, se forma em Direito, na Universidade de Moscou. Retorna a Gomel, onde inicia sua vida profissional.

1918
Começa a se interessar por temas ligados à pedagogia, embora nesta fase a maior parte dos seus trabalhos se relacione aos temas da estética, crítica e teoria literária. Participa de modo ativo da vida cultural de Gomel, chegando a fundar uma pequena editora e uma revista literária (Veresk). Dirige ainda a Seção de Teatro do Comissariado de Instrução Pública da cidade.

1920
Contrai tuberculo
e interna-se pela
primeira vez num
sanatório. Conviv
com a doença po
quatorze anos, até
sua morte.

aprendeu desde cedo várias línguas e a apreciar a poesia. Moravam num amplo apartamento e buscavam oferecer oportunidades educacionais de alta qualidade aos filhos. De origem judaica, sua família lhe deu uma educação dentro dessa tradição, incluindo a leitura da Torá em hebraico e a passagem pelo ritual do Bar Mitzva. O estimulante universo familiar em que Vigotski viveu deixou marcas facilmente identificáveis nas suas formulações teóricas. Angel Rivière nos oferece um interessante exemplo dessas influências. Ele identifica relações entre as conversas e discussões animadas realizadas no ambiente doméstico, todas as tardes, ao redor do chá, com algumas das concepções posteriores de Vigotski sobre o processo de internalização do diálogo social.

A maior parte da educação formal de Vigotski não foi realizada na escola. Seus pais não consideravam adequado o ensino oferecido pela escola pública de Gomel. Sua formação inicial foi coordenada por sua própria mãe. Mais tarde seus pais optaram por contratar um tutor particular, Salomon Ashpiz, que acabou exercendo grande influência sobre Vigotski. Ex-exilado político e formado em matemática (embora ministrasse aulas sobre todas as disciplinas), era um homem gentil e bem humorado, que estimulava seus alunos a pensarem de modo original e independente. Assim, fora da escola, ele construiu uma densa e multifacetada formação intelectual. Desde cedo frequentou a biblioteca pública, se dedicou ao aprofundamento em várias áreas do conhecimento, organizou grupos de estudo, aprendeu diversas línguas (além do russo, o alemão, inglês, francês e hebraico) e mergulhou no campo das artes, especialmente

1924
Após realizar uma importante conferência no II Congresso de Psiconeurologia de Leningrado muda-se para Moscou, a convite de Kornilov, para trabalhar no Instituto de Psicologia de Moscou. Aos 28 anos casa-se com Roza Semerrova, com quem teve mais tarde duas filhas.

1925
Realiza sua única viagem ao exterior para apresentar um trabalho em um congresso em Londres e visitar instituições voltadas à questão da deficiência (na Alemanha, França, Inglaterra e Holanda). Nesse ano escreve Psicologia da Arte e organiza o Laboratório de Psicologia para Crianças Deficientes (transformado, em 1929, no Instituto de Estudos das Deficiências e, após sua morte, no Instituto Científico de Pesquisa sobre Deficiências da Academia de Ciências Pedagógicas). Nasce sua filha Guita, falecida em julho de 2010.

na leitura de obras de literatura, poesia e teatro. Na infância seus passatempos favoritos eram colecionar selos, jogar xadrez e escrever cartas em esperanto. Quando jovem passou a participar de grupos de discussão, ler poesia, e assistir constantemente a peças teatrais.

Nessa fase, além de seu tutor particular, outra pessoa exerceu grande influencia sobre ele: seu primo David Vigodski (1893-1943). Erudito e três anos mais velho, foi uma espécie de mentor intelectual durante sua formação em Gomel. Eles tinham uma série de interesses em comum: pela semiologia e pelos problemas linguísticos, pela poesia e pelo teatro, pela filatelia e pelo esperanto. Poliglota, David traduzia textos de dezenas de línguas para o russo, entre elas algumas línguas antigas. Foi ele quem traduziu, pela primeira vez, um texto de um autor brasileiro para o russo: um poema de Mario de Andrade. Tempos depois manteve correspondência com Jorge Amado e outras personalidades da cultura brasileira, segundo apurou Zoia Prestes recentemente. Anos mais tarde, além de professor, David se tornou um importante linguista e, como Vigotski, também foi perseguido pelo obscurantismo reinante no regime stalinista. É interessante observar que o sobrenome original de Lev Semionovitch Vigotski era, na verdade, Vigodski. Ele optou por mudar a grafia desse nome por acreditar que sua família vinha originalmente de uma pequena cidade chamada Vigotovo, como mostram René Van der Veer e Jaan Valsiner.

Seu interesse por literatura, gestado nesses primeiros anos de formação, permeia sua obra acadêmica. Ao longo de seus textos Vigotski recorre frequentemente a citações extraídas de obras literá-

1925-1939
Nesse período, sete artigos de sua autoria são publicados no mundo ocidental. Depois desta fase isso viria a ocorrer novamente somente a partir de 1962.

1926
Meses depois de regressar de sua viagem à Europa ocidental, é hospitalizado para um longo tempo de tratamento já que as crises decorrentes da tuberculose haviam se agravado. Publica Psicologia Pedagógica.

1927
Escreve "O Significado Histórico da Crise da Psicologia". Esse texto não chegou a ser publicado em vida. Depois de extraviado durante a Segunda Guerra Mundial, foi encontrado em 1960 e finalmente publicado em 1982.

rias para exemplificar ou aprofundar questões de que está tratando teoricamente. Cita Púchkin, Dostoiévski, Tolstói, Gógol e diversos outros autores, russos e estrangeiros. Ao abordar, por exemplo, o fenômeno da fala abreviada e as possibilidades de sua compreensão por diferentes interlocutores, no texto "Pensamento e Palavra", do livro A Construção do Pensamento e da Linguagem, Vigotski contrasta uma anedota sobre um diálogo entre surdos, onde prevalece a total incompreensão, com a declaração de amor entre Kiti e Liévin, em Anna Kariênina, de Tolstói, que conversam entre si por meio da escrita apenas de iniciais de palavras (por exemplo, ntoqeependda significava "Não tenho o que esquecer e perdoar. Eu nunca deixarei de amá-la"). A plena compreensão entre os amantes só era possível pelo fato de eles, previamente, compartilharem conteúdos e significados. Sempre recorrendo a esse e a outros trechos literários, Vigotski explora a ideia de que é sempre possível a compreensão, baseada em uma linguagem abreviada, entre pessoas que vivem em grande contato psicológico.

A JUVENTUDE E O TEMPO DE FORMAÇÃO

Após o período de estudo com seu tutor, Vigotski, aos 15 anos, ingressou num colégio privado judaico, onde frequentou os dois últimos anos do curso secundário, formando-se em 1913. Nessa ocasião recebeu medalha de ouro pelo seu desempenho. Apesar das evidências de sua brilhante capacidade intelectual, Vigotski, por ser judeu, teve enormes dificuldades de ingressar na universidade. Nessa época, na Rússia, os judeus sofriam as mais diversas formas

1930
Nasce sua filha Assia, falecida em 1985.

1930-1934
Escreve importantes textos, dentre eles: "O Instrumento e o Símbolo no Desenvolvimento da Criança" (1930), "A História do Desenvolvimento das Funções Psicológicas Superiores" (1931, inédito até 1960) e Pensamento e Linguagem (1934).

1931
Artigos críticos sobre suas ideias começaram a circular na ex-União Soviética.

de discriminação, tinham que viver em territórios restritos, disputavam, por sorteio, um número limitado de vagas na universidade e eram impedidos de exercer certas profissões.

Ainda em 1913, superando esses obstáculos, ele consegue ingressar na Faculdade de Medicina da Universidade Imperial de Moscou, passando a viver nesta cidade. Mas como a escolha da Medicina fora fruto das pressões exercidas por seus pais, o curso não lhe despertava interesse e o jovem estudante logo transfere sua matrícula para a Faculdade de Direito.

Rivière analisa as razões que motivaram sua desistência do curso de medicina: "Antes de começar os estudos universitários em Moscou, Vigotski havia desenvolvido uma importante formação humanista. É essencial compreender isto para analisar a abordagem posterior de Vigotski à psicologia: a análise crítica dos problemas com os instrumentos que lhe proporcionava a sensibilidade humanista, a tendência a considerá-los de uma perspectiva histórica com um enfoque dialético, e o interesse por sua vertente semiológica foram as premissas em que se basearam suas importantes abordagens posteriores".

É interessante observar que mais tarde, com mais de 30 anos, depois de já ter realizado um grande volume de leituras e escritos na área de psicologia e devido a sua intenção de trabalhar com problemas neurológicos como forma de compreender o funcionamento psicológico humano, Vigotski voltou a estudar medicina, parte em Moscou e parte em Kharkov. Novamente é Rivière quem procura explicar as razões que levaram Vigotski a retomar um campo de es-

1932
Nos últimos anos de sua vida Vigotski se interessou cada vez mais por problemas da neurologia e neuropatologia, chegando a realizar alguns cursos de medicina, parte em Moscou e parte em Kharkov. Nessa fase participou ativamente na organização do departamento de Psicologia na Academia Psiconeurológica de Kharkov, assim como colaborou intensamente com os membros da clínica neurológica de Moscou.

1934
Morre de tuberculose, aos 37 anos, no dia 11 de junho, no Sanatório Serebreni Bor, em Moscou.

tudo ao qual havia renunciado aos 17 anos: "esse aparente paradoxo biográfico tem, sem dúvida, uma profunda lógica: a concepção histórica do desenvolvimento das funções superiores, a que havia chegado graças à formação humanista, o levava a recolocar o problema da organização neurológica daquelas funções. De modo que Vigotski iniciou seus estudos de medicina (que não pôde terminar, por sua morte prematura) quando sua própria evolução intelectual o levou a eles, e não antes, por pressões externas".

Ao mesmo tempo em que seguia sua carreira universitária principal, passou a frequentar a Faculdade de História e Filosofia da Universidade do Povo de Chaniavski, uma instituição livre, cujas titulações não eram reconhecidas pelas autoridades educativas da Rússia czarista. Essa foi a alternativa que ele encontrou para dar continuidade aos interesses que cultivava já havia um bom tempo. O ambiente intelectual dessa universidade era de grande efervescência. Lá estavam reunidos importantes pensadores, perseguidos por razões políticas. A experiência nessa universidade teve um papel bastante destacado na formação de Vigotski. Embora não tenha aí recebido nenhum título acadêmico, a formação obtida nessa universidade permitiu que ele aprofundasse seus estudos em psicologia, filosofia e literatura, historiografia, estética e linguística, o que foi de grande valia em sua vida profissional posterior. Atualmente a Universidade de Chaniavski denomina-se Universidade Estadual Russa de Ciências Humanas, onde funciona o Instituto de Psicologia L. S. Vigotski.

Nos dois últimos anos que passou como estudante universitário

1936-1956
Durante esse período as publicações da obra de Vigotski foram proibidas na União Soviética, devido ao obscurantismo do regime stalinista.

1956
Reedição do clássico Pensamento e Linguagem, coincidindo com um período da "desestalinização" da ex-URSS.

1962
Lançamento de Pensamento e Linguagem nos Estados Unidos. Essa edição, adaptada, foi reduzida a menos da metade da versão original.

1982-1984
Edição das Obras Reunidas de Vigotski na ex-URSS (em seis tomos).

em Moscou, Vigotski dividia um quarto com sua irmã mais nova, Zinaida Vigodski. Possivelmente essa irmã, que depois se tornou uma linguista bastante proeminente, foi mais uma das pessoas importantes em sua formação, das que lhe trouxeram informações e contribuíram para o desenvolvimento de seu interesse em língua, literatura e dramaturgia. Nessa época Vigotski já nutria um significativo interesse pelo teatro. Esse interesse acabou motivando a elaboração de uma análise de Hamlet, de Shakespeare, autor por quem ele tinha grande admiração, que foi apresentada como trabalho de conclusão do curso realizado na Universidade de Chaniavski. Em 1925 essa análise foi incorporada, sob forma modificada, a seu livro Psicologia da Arte, publicado na Rússia somente em 1968. De acordo com Rivière, nessa fase um outro personagem parece ter exercido uma papel destacado em sua formação: Vladimir Uzin, autodidata, tradutor e crítico literário. Ele foi um importante interlocutor de Vigotski, principalmente em relação aos temas ligados ao campo da arte.

Em 1917 Vigotski concluiu as duas graduações. No mesmo ano, portanto, da vitória da revolução bolchevique. Rivière faz uma pertinente síntese do contexto histórico vivido por Vigotski nestes anos de formação: "Os estudos universitários de Vigotski coincidiram com os turbulentos anos anteriores à revolução soviética e sua conclusão, com o estado revolucionário de 1917. Em muitos sentidos, Vigotski era um filho da revolução e se incorporou ativamente ao projeto de fazer uma nova sociedade e desenvolver uma nova cultura". Foi, portanto, neste contexto efervescente que

1984
Primeira publicação brasileira de uma obra de Vigotski, A Formação Social da Mente, traduzida da publicação original em inglês (coletânea de textos de Vigotski organizada por pesquisadores norte-americanos).

1987
Publicação de Pensamento e Linguagem no Brasil (tradução da versão norte-americana resumida).

1987
Início da publicação de The Collected Works of L. S. Vigotski", nos Estados Unidos, tradução em cinco volumes das obras reunidas diretamente do russo.

Vigotski deu início aos estudos mais diretamente relacionados ao campo psicológico.

OS ANOS EM GOMEL: EXPERIMENTAÇÕES PROFISSIONAIS

Vigotski começou sua carreira profissional propriamente dita aos 21 anos, após a Revolução Russa, em 1917, quando retornou a Gomel ao terminar seu curso na universidade de Moscou. Lá permaneceu por um período de sete anos, até 1924, ano em que se mudou novamente para Moscou. No período de 1918 a 1924, além de escrever críticas literárias e resenhas sobre peças teatrais, lecionou e proferiu palestras sobre temas ligados à literatura, ciência e psicologia. Já nessa época preocupava-se também com questões ligadas à pedagogia. Em 1922, por exemplo, publicou um estudo sobre os métodos de ensino da literatura nas escolas secundárias.

Nessa fase ministrou aulas em várias instituições, entre as quais se destacam a Escola Soviética do Trabalho, a Escola Noturna para Adultos Trabalhadores, o Curso Preparatório para Pedagogos e o Instituto de Formação de Professores, no qual ele instalou um pequeno laboratório de psicologia, onde os alunos podiam fazer investigações práticas simples e onde ele próprio começou a preparar um de seus principais livros, Psicologia Pedagógica. Ele dava aulas de língua e literatura russa, lógica, psicologia e pedagogia. Nesse período proferiu palestras também sobre estética e história da arte e participou de grupos de discussão sobre literatura. Além de ajudar a criar o Museu da Imprensa de Gomel, também fundou uma editora e uma revista literária, que duraram pouquís-

1991-1997
Edição das Obras Escogidas, na Espanha, em cinco volumes, tradução das obras reunidas de Vigotski diretamente do russo.

1999
Publicação, no Brasil, de "Psicologia da Arte" e "A Tragédia de Hamlet, Príncipe da Dinamarca". Esses dois textos, que juntos compõem o livro original de Vigotski intitulado Psicologia da Arte, foram seus primeiros livros traduzidos diretamente do russo no Brasil.

2001
Lançamento do livro A Construção do Pensamento e da Linguagem no Brasil, versão integral do livro Pensamento e Linguagem de Vigotski, traduzido diretamente do russo.

simo tempo devido à carência de papel na ex-União Soviética. Foi ainda o coordenador da divisão de teatro do Departamento de Educação do Povo, de Gomel, participando da seleção do repertório, da montagem e direção das peças, e editou a seção de teatro de um jornal local. De acordo com Zoia Prestes, nesse período Vigotski escreveu mais de 70 resenhas teatrais que em breve serão republicadas na Rússia, em suas obras completas, que está em fase de preparação. Seu papel ativo na vida cultural da cidade o levou a conhecer várias figuras importantes no cenário cultural, tanto de Gomel como de outras localidades.

Rivière destaca que, sob a aparente diversidade de ocupações e interesses dessa etapa de vida em Gomel, Vigotski já revelava uma unidade de propósito, que consistia na tentativa de "dar conta das funções da criação cultural, tanto na arte como na educação, a partir de uma consideração científica da natureza das funções superiores especificamente humanas. Os interesses psicológicos de Vigotski nasceram de uma preocupação mais primária pela gênese da cultura (de forma semelhante a como os interesses psicológicos de Piaget se originaram em uma preocupação mais primordial pela gênese do conhecimento)".

Ao mesmo tempo, em sua volta para Gomel, Vigotski viveu os sérios problemas de seu país naquele momento: a queda do império czarista, o advento da revolução, vários partidos e ideólogos que saíram do ostracismo ou voltaram do exílio e que disputavam o poder e a adesão dos cidadãos, a ofensiva alemã que incorporou Gomel ao território da Ucrânia, a ameaça dos contrarrevolucionários. Além disso, ocorreram problemas familiares, agravados pela situação difícil do país. Seu irmão de 12 anos adoeceu de tuberculose e Lev o acompanhou, juntamente com sua mãe (que também se recuperava de uma tuberculose), a um sanatório na Crimeia, empreitada que exigiu grande dispêndio de energia e de tempo. O irmão acabou falecendo em 1918. Sua mãe, abatida, voltou a adoecer. Para complicar o dramático quadro, em poucos meses Vigotski perde outro irmão, vítima da febre tifoide. Vigotski, em 1920, também se tornou tuberculoso, lutando contra a doença até sua morte, em 1934.

Apesar das dificuldades, Vigotski prolonga sua permanência em Gomel. René Van der Veer e Jaan Valsiner analisam assim, em UnderstandingVigotski: a Quest for Synthesis, essa opção: "Poderíamos nos perguntar por que, nessas circunstâncias desesperadas, Vigotski não tentou mudar-se para Moscou. Moscou era definitivamente um centro de importantes atividades culturais e científicas, um fato que era necessariamente importante para um jovem tão interessado em teatro, arte e literatura. Além disso, Vigotski certamente havia feito muitos amigos lá, durante seus anos de universidade. A explicação dada por Dobkin é provavelmente a mais acurada [...]: Vigotski não queria deixar seus pais durante esse período difícil e sua relutância em ir para Moscou pode, portanto, ter sido ligada à situação política instável na área de Gomel. [...] Além disso era difícil, naturalmente, obter permissão para se estabelecer em Moscou e, finalmente, uma história de amor pode ter tido um papel nesse caso: em 1924 Vigotski casou-se com Roza Semerrova, de Gomel, e aí partiu para Moscou". Vigotski teve duas filhas com Roza Semerrova. A mais velha, Guita, formou-se em psicologia da educação e vivia em Moscou, aposentada, até seu falecimento em julho de 2010. A mais nova, Assia, especialista em biofísica, morreu em 1985. Roza morreu em Moscou, em 1979.

OS ANOS EM MOSCOU

O ano de 1924 significou um grande marco na sua carreira intelectual e profissional. A partir dessa data se dedicou mais sistematicamente à psicologia e passou a ocupar um lugar de destaque na história da psicologia soviética. No início desse ano realizou uma palestra no II Congresso Russo de Psiconeurologia em Leningrado, que na época era considerado um dos principais encontros dos cientistas ligados à psicologia. Nas suas exposições Vigotski, com apenas 28 anos, causou surpresa e admiração devido à complexidade dos temas que abordou, à qualidade de sua explicação e à proposição de ideias revolucionárias sobre o estudo do comportamento consciente humano. Graças a essa comunicação, Vigotski foi convidado a trabalhar no Instituto de Psicologia Experimental de Moscou, considerado então a instituição mais relevante da psicologia soviética e que, com a Revolução Russa, enfrentava o desafio de reorganizar-se a partir das premissas dialético-materialistas. Nesse instituto Vigotski teve a oportunidade de conviver com destacados pesquisadores, dentre eles

Aleksandr Romanovitch Luria (1902-1977) e Aleksei Nikolaievitch Leontiev (1903-1979), que viriam a ser dois de seus principais colaboradores.

RITMO INTENSO

Já instalado em Moscou, Vigotski continuou com o seu frenético ritmo de trabalho. Em pouco tempo, além das atividades no Instituto de Psicologia Experimental de Moscou, assumiu também a coordenação da subseção de educação e treinamento de crianças com deficiências físicas e mentais, do Departamento de Proteção Legal e Social de Menores e começou a ser reconhecido como uma referência na área da chamada defectologia, termo usado no início do século XX para o campo das deficiências. Por essa razão foi escolhido para representar a ex-União Soviética, a convite do governo inglês, em um importante congresso sobre a educação de crianças com problemas auditivos e de fala que aconteceu em Londres, em 1925. Nessa ocasião visitou também instituições voltadas à questão da deficiência na Alemanha, França e Holanda. Essa foi a única vez que saiu de seu país.

Após retornar de sua viagem, Vigotski recebeu o título de doutor em psicologia por sua tese Psicologia da Arte, embora não tenha conseguido, por problemas de saúde (que o obrigaram a ficar internado por vários meses), cumprir as formalidades acadêmicas da defesa pública.

Nessa fase, apesar da doença e das frequentes hospitalizações, Vigotski demonstrou um ritmo de produção intelectual excepcional. Trabalhou em diversas instituições em diferentes localidades dentro da ex-União Soviética, como professor, pesquisador e editor. Como avaliam Van der Veer e Valsiner "a carreira científica de Vigotski chegou a um ápice no final da década de 1920 e no começo da década de 1930". Rivière precisa que entre os anos 1924 e 1934 (ano de sua morte) Vigotski viveu uma década "furiosa". Ana Smolka faz um interessante balanço desse período: "A década de 1924 a 1934 – os dez últimos anos de sua vida – concentra sua intensa produção. O crítico literário, que se fez professor, tornou-se também investigador do drama humano. Com A. Luria e A. Leontiev, seus companheiros mais próximos de trabalho, Vigotski compunha um grupo de pesquisa na Universidade de Moscou que era referido como troika na psicologia russa. Dirigindo um laboratório de defectologia, criado em 1925, reunia as preocupações e discutia as formas de atuação e investigação sobre o desenvolvimento humano; as possibilidades da criação humana; os sentidos da criação literária; as contradições e os sentidos da vida".

Partindo de uma perspectiva materialista histórico-dialética e buscando um modo mais abrangente de estudar os processos psicológicos humanos, Vigotski e seu grupo buscavam fazer de modo quase obstinado uma revisão crítica da história e da situação da psicologia na Rússia e em outras partes do mundo. Nessa fase lia com avidez obras de diversas áreas do conhecimento e a perspectiva interdisciplinar que sempre adotara se evidencia, segundo Smolka: "a literatura e a arte, a pedagogia (as orientações e os modos de ensinar) e a pedologia (a ciência da infância), a psicologia (o estudo do desenvolvimento humano e da consciência na história e na cultura), a defectologia articulam-se todas no campo de interesse e investigação de Vigotski".

Nesse período Vigotski escreveu alguns de seus mais importantes trabalhos, dentre eles: "A Consciência como Problema da Psicologia do Comportamento" (1924), Psicologia da Arte (1925), Psicologia Pedagógica (1925), "O Significado da Crise em Psicologia" (1929) e "Manuscrito de 29". Sua expressiva produção começou a receber severas críticas na Rússia a partir dos primeiros anos da década de 1930. Durante o governo de Stálin, suas teorias foram consideradas "idealistas" pelas autoridades soviéticas (de 1936 a 1956 as obras de Vigotski chegaram a ser proibidas na ex-União Soviética).

UMA CARREIRA PRECOCEMENTE INTERROMPIDA

Nos últimos anos Vigotski viveu uma fase bastante difícil, já que as condições de vida em Moscou não eram fáceis e, como as descrevem Van der Veer e Valsiner, "nem sempre propícias ao trabalho científico criativo. Nos últimos anos de sua vida a situação ficou ainda pior, tornando-se quase intolerável. Para ilustrar isso, as condições nas quais Vigotski compunha seus livros são reveladoras. Primeiramente, ele, sua esposa e duas filhas viviam em um cômodo de um apartamento superlotado – condição que ele compartilhava com milhões de seus compatriotas. Em segundo lugar, para sobreviver, Vigotski assumiu uma enorme quantidade de trabalho editorial para editoras e pesada carga didática, que envolvia viagens de ida e volta entre Moscou e Leningrado e Kharkov. Em terceiro lugar, Vigotski sofria de ataques recorrentes de tuberculose. Várias vezes os médicos lhe disseram que ele morreria dentro de alguns meses e muitas vezes teve que sofrer tratamentos cansativos e dolorosos. Operações foram repetidamente planejadas e depois adiadas outra vez, e os períodos regulares em hospitais e sanatórios superlotados podiam ser intrinsecamente horríveis. [...] Em quarto lugar, por volta de 1931 artigos críticos de suas ideias começaram a ser publicados nos principais periódicos de psicologia e pedologia, no contexto de um ataque cuidadosamente orquestrado à sua teoria histórico-cultural. [...] Por fim, Vigotski ficou profundamente ferido pela 'deserção' de vários de seus colaboradores e alunos".

Vigotski faleceu em Moscou, em 11 de junho de 1934, aos 37 anos, no Hospital Sanatório Serebreni Bor, vítima da doença contra a qual lutou durante 14 anos. Está enterrado no cemitério de Novodevechy, na atual capital da Rússia. Seu legado comprova não somente o quão revolucionárias eram as suas ideias para a época em que viveu, como também a vitalidade de suas proposições para o nosso tempo.

HERANÇA E INVENÇÃO

por Marta Kohl de Oliveira e Teresa Cristina Rego

Para Vigotski, "todo inventor, até mesmo um gênio, também é fruto do seu tempo e do seu ambiente"

Leitor poliglota, além de Spinoza, Marx, Engels, Hegel e Darwin, Vigotski dialogou com um conjunto expressivo e diversificado de autores, da literatura e das artes (como Blok, Dostoiévski, Shakespeare, Maiakóvski, Púchkin e Iessiênin), da linguística (como Potebnya e Humboldt), da psicologia (como Kornilov, Blonsky, Pavlov, Betkterev, Watson e os gestaltistas Wertheimer, Kohler, Koffka e Lewin) e da sociologia e antropologia (tais como Durkheim, Thurnwald e Lévy-Brühl). Fez também análises importantes sobre os trabalhos de Freud, Nietzsche e Piaget. É expressivo, ainda, o número de pesquisadores por ele influenciados, na Rússia e fora dela. Segue uma pequena amostra deste amplo quadro de influências.

Baruch Spinoza (1632-1677)
Nascido em Amsterdã, foi um dos grandes racionalistas do século XVII dentro da chamada filosofia moderna. Toda a obra de Vigotski é profundamente marcada pela filosofia de Spinoza.

Karl Marx (1818-1883)
Intelectual e revolucionário alemão, fundador da doutrina comunista moderna. Seus postulados influenciaram profundamente as proposições de Vigotski, em cuja obra podemos identificar os pressupostos filosóficos, epistemológicos e metodológicos da teoria dialético-materialista.

Friedrich Engels (1820- 1895)
Teórico revolucionário alemão, junto com Marx fundou o chamado socialismo científico. Suas concepções sobre a sociedade, o trabalho, o uso de instrumentos e a dialética homem/natureza foram fundamentais para as teses de Vigotski sobre o desenvolvimento humano enraizado na cultura e na história.

← Influenciou Vigotski

→ Influenciados por Vigotski

\leksandr
Romanovitch
.uria
1902-1977)
Jm dos principais olaboradores de /igotski, dedicou-e ao estudo das bases iológicas do funcionamento sicológico, tornando-se um lestacado neuropsicólogo. Conduziu também a famosa esquisa intercultural na Ásia Central nos anos 1930.

Aleksei Nikolaievitch
Leontiev
(1903-1979)
Juntamente com Luria, foi um dos colaboradores mais próximos de Vigotski. Propôs a chamada Teoria da Atividade, que define o comportamento humano como orientado por objetivos e contextualizado num sistema de relações sociais.

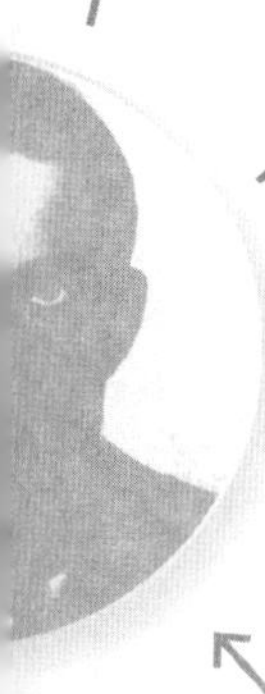

Jerome
Seymour
Bruner
(1915 -)
Referência unânime na psicologia norte-americana contemporânea, tem vasta produção sobre processos cognitivos e questões educacionais. Faz uma leitura atual da obra de Vigostki, em diálogo com a produção científica de diversos outros autores.

Vladimir P.
Zinchenko
(1931 -)
Filho de Piotr Zinchenko, pesquisador que trabalhou diretamente com Vigotski nos anos 1930, é um dos principais pensadores russos da atualidade na tradição da psicologia histórico-cultural, em diálogo tanto com russos como com ocidentais. Seu trabalho focaliza a psicologia da percepção e a psicologia do trabalho.

Lucien
Lévy-Brühl (1857-1939)
Filósofo, antropólogo e sociólogo francês, sua tese de que os membros das chamadas sociedades primitivas teriam uma mentalidade pré-lógica, baseada em representações míticas, foi importante fonte para as propostas de Vigotski sobre diferenças culturais.

Principais teses

A CONSTITUIÇÃO SOCIAL DO DESENVOLVIMENTO

por Elizabeth dos Santos Braga

Não nos relacionamos com um mundo físico bruto, mas com um mundo interpretado pelos outros. O que apreendemos e tornamos nosso se estabelece inicialmente em uma relação social e significativa

Lev Semionovitch Vigotski foi, sem dúvida, um dos grandes pensadores da psicologia do século XX. Suas ideias marcaram gerações de pesquisadores em várias partes do mundo, em estudos teóricos e empíricos sobre desenvolvimento, linguagem, cultura, conhecimento, educação, deficiência, entre tantos outros temas. Sua vida breve e intensa e sua dinâmica elaboração teórica constituíram um autor instigante de textos que desafiam seus leitores com novas possibilidades de análise a cada leitura.

Assumindo o pressuposto da constituição social dos processos psíquicos e contrapondo-se às visões naturalistas, mecanicistas e idealistas da época, Vigotski inaugurou uma concepção de desenvolvimento humano que se produz na história e na cultura, em processos de significação. Sua concepção foi marcada pelo interesse por assuntos relativos a literatura, teatro e crítica literária e pelas atividades que desenvolveu nessas áreas. A admiração pela poesia, especialmente a simbolista, lhe trouxe sensibilidade para a problemática da linguagem, do signo e do símbolo.

Leitor de obras de autores de vários campos do conhecimento desde a adolescência – Hegel, Spinoza, Shakespeare, Goethe, Dostoiévski, James, Freud, Darwin... – desenvolveu o gosto pela interlocução. Suas análises são permeadas por diálogos com outras perspectivas. Além das questões teóricas, sua produção foi orientada para o atendimento a demandas práticas, num contexto de inúmeros problemas sociais, depois da Primeira Guerra Mundial, da Revolução Russa e da Guerra Civil.

Juntamente com outros companheiros, entre os quais Luria e Leontiev, formou um grupo de pesquisa na Universidade de Moscou que trabalhava intensamente, embora suas condições de vida nem sempre fossem propícias para o trabalho científico. Esse grupo se empenhou na reformulação de disciplinas como a pedagogia e a psicologia. Vigotski desenvolveu uma análise da psicologia no começo do século XX cuja situação, segundo ele, era extremamente paradoxal. Por um lado, a psicologia subjetiva, com raízes na filosofia idealista de Descartes, via o estudo dos fenômenos psíquicos como manifestação do espírito, dos quais só se podia obter uma descrição subjetiva, negando uma abordagem naturalista dos fenômenos. Por outro, a psicologia naturalista científica, própria do positivismo evolucionista, considerava a atividade consciente do homem como resultado direto da evolução do mundo animal, reduzindo a ação dos complexos acontecimentos psicológicos a mecanismos elementares, estudados em laboratório por meio de técnicas exatas. Vigotski enfatizou o estudo da consciência, influenciado por Marx e Engels, concluindo que as origens das formas superiores de comportamento consciente deveriam ser buscadas nas condições sociais de vida historicamente formadas.

Luria, em Linguagem, Desenvolvimento e Aprendizagem, assim se referiu à sua forma de trabalho: "Uma das múltiplas características do trabalho de Vigotskii [...] foi sua insistência no fato de que a pesquisa psicológica nunca deveria limitar-se a uma especulação sofisticada e a modelos de laboratório divorciados do mundo real. Os problemas reais da existência humana, tais como são sentidos na escola, no trabalho ou na clínica, serviam como contextos nos quais Vigotskii lutava para formular um novo tipo de psicologia".

CULTURA E HISTÓRIA NA CONSTITUIÇÃO DO PSIQUISMO HUMANO

A teoria iniciada por Vigotski e cada vez mais difundida em diferentes países e áreas é conhecida como abordagem histórico-cultural, sociocultural, sócio-histórica, sociointeracionista, teoria da atividade. Cada uma dessas denominações diz respeito a aspectos que ele considerava essenciais na constituição do psiquismo. Salientamos o lugar ocupado pelos conceitos de cultura e de história na sua elaboração teórica do desenvolvimento humano.

Para Vigotski, o funcionamento psicológico fundamenta-se nas relações sociais, as quais se desenvolvem no interior da cultura (ao mesmo tempo que constantemente a produzem) e num processo histórico. Se pensarmos no adjetivo cultural atribuído a essa perspectiva, devemos levar em conta que toda interação social é aqui analisada como emergente em uma cultura, envolvendo os meios socialmente estruturados (como os grupos e instituições), os instrumentos e a linguagem. E o histórico funde-se com o cultural, já que os instrumentos foram inventados e aperfeiçoados ao longo da história social do homem. Além disso, os fenômenos psicológicos nessa abordagem são considerados em processo de mudança, ou seja, tratados historicamente.

A abordagem histórica de Vigotski relaciona-se a um dos principais fundamentos de suas elaborações: o materialismo histórico e dialético. O caráter histórico do materialismo de Marx e Engels o diferencia de outras concepções materialistas da época. Para Marx, toda ciência é histórica e é produto da atividade humana, não um resultado puro da razão. O caráter materialista da dialética de Marx e Engels, por sua vez, marca a diferença entre a sua dialética e a de outros autores (em especial, Hegel), na consideração das condições concretas da produção do conhecimento.

Vigotski, Luria e Leontiev distinguem dois períodos na filogenia humana: a evolução biológica (explicada na teoria da evolução de Darwin) e a história humana (conforme análise de Marx e Engels). Embora Vigotski concorde com a ideia da evolução, ele separa o comportamento dos animais e dos homens pela emergência da cultura e atribui um papel limitado à base genética do comportamento humano. Enquanto as leis biológicas explicam a evolução das espécies, são leis sócio-históricas que explicam o desenvolvimento do homem com o início da cultura. Os animais são dependentes de programas hereditários de comportamento e/ ou de resultados da experiência individual (por treinamento ou por sua vida em sociedade); diferentemente, a atividade consciente do homem se baseia nos conhecimentos e habilidades presentes na experiência da humanidade, acumulada no processo da história social, como nota Luria, no Curso de Psicologia Geral. As características especificamente humanas são, portanto, desenvolvidas culturalmente, em processos de interação.

A distinção assumida entre evolução biológica e história humana é baseada nos escritos de Marx e, mais intensamente, de Engels, com a explicação para a origem do *Homo sapiens* na postura ereta e na liberação das mãos para o trabalho. O trabalho coletivo na fabricação dos primeiros instrumentos teria criado a necessidade de um meio de comunicação. Com base nessa hipótese, os fatores decisivos dessa transformação são: o trabalho social, a invenção e o emprego dos instrumentos de trabalho, o surgimento da linguagem.

Para falar do processo de desenvolvimento humano, Vigotski baseia-se na distinção bastante comum na psicologia da época entre funções elementares e funções superiores, relacionada à consideração de duas linhas no desenvolvimento: uma "natural" e outra "social" ou "cultural". As funções elementares ou naturais têm sua origem na evolução biológica. As funções superiores ou culturais, tais como a atenção e a memória voluntárias, a capacidade de planejamento, a linguagem etc., encontram-se em um nível qualitativamente novo de funcionamento psicológico. Nesse sentido, segundo Vigotski, não podem ser aplicados os mesmos princípios explicativos para os dois tipos de processos. Ele baseou-se nos seguintes critérios para caracterizar os processos mentais superiores: a mudança do controle do ambiente para o indivíduo; a realização consciente de processos mentais; a origem e natureza social; e a mediação por signos.

A SUPERAÇÃO DO DUALISMO

Segundo Angel Pino, em "O Social e o Cultural na Obra de Lev S. Vigotski", ao propor dois tipos de funções, Vigotski não segue a via do dualismo; ao contrário, propõe a superação: "As funções biológicas não desaparecem com a emergência das culturais mas adquirem uma nova forma de existência: elas são incorporadas na história humana. Afirmar que o desenvolvimento humano é cultural equivale portanto a dizer que é histórico, ou seja, traduz o longo processo de transformação que o homem opera na natureza e nele mesmo como parte dessa natureza. Isso faz do homem o artífice de si mesmo".

Um aspecto crucial e muitas vezes esquecido na sua obra é a ideia do desenvolvimento histórico dos processos especificamente humanos. Vigotski considera que eles estão continuamente em transformação. Portanto, estudar uma função historicamente é estudá-la em processo de mudança, requisito do método dialético.

Outro aspecto importante da teoria vigotskiana relacionado à sua abordagem histórica é a articulação entre os planos filogenético (história da espécie humana) e ontogenético (história pessoal). Vigotski e Luria se apoiaram nas pesquisas sociológicas etnográficas de Durkheim, Lévy-Brühl e Thurnwald, que marcaram sua maneira de entender outras culturas e a relação entre cultura e processos mentais em aspectos tais como: a correspondência entre variedade cultural de representações coletivas e diferentes funções mentais; a diferença entre as funções psicológicas superiores do homem primitivo e as do homem civilizado; superioridade da mente moderna em relação à pré-histórica, explicada não pelas características biológicas, mas pelas diferenças culturais. Para Vigotski, a cultura e o pensamento/ação culturalmente mediados são considerados a marca da emergência dos seres humanos como espécie distinta.

De acordo com Michael Cole e Natalia Gajdamaschko, Vigotski estava profundamente imerso em uma tradição acadêmica e social que tinha como pressuposto uma forte ligação entre a evolução sociocultural e a história. A cultura era vista como fenômeno histórico, o que se torna central para o aspecto comparativo da teoria. Além desses aspectos, a cultura ainda abrange, nos seus escritos, os produtos artísticos e os processos de criação. Para Vigotski, a cultura é a totalidade das produções humanas: técnicas, artísticas, científicas, instituições e práticas sociais. Daí, o termo "desenvolvimento cultural" usado por ele para descrever o desenvolvimento psicológico. A mediação pela cultura em Vigotski é o que define o funcionamento psicológico humano.

A MEDIAÇÃO

A mediação é um princípio fundante da teoria histórico-cultural e atravessa todos os escritos de Vigotski. Na sua concepção, ao invés de agirmos de forma direta, imediata no mundo físico e social, nosso contato é indireto ou mediado por signos e instrumentos, pelo outro. A mediação, para ele, é a marca da consciência humana. A compreensão da emergência e da definição dos processos mentais especificamente humanos e da ligação entre os processos sociais e históricos e os processos individuais é alicerçada nessa noção.

As ideias sobre a emergência do humano e a característica distintiva de usar instrumentos para controlar a natureza, na perspectiva histórico-cultural, como vimos, basearam-se no pensamento de Marx e Engels.

A transformação do comportamento imediato, impulsivo, dirigido diretamente a um objeto, em comportamento instrumental, mediado por um instrumento, foi considerada por Vigotski e Luria na análise das semelhanças e diferenças entre o comportamento instrumental dos primatas antropoides, a partir dos experimentos de Köhler na década de 1920, e o comportamento de crianças pequenas. O uso de ferramentas, para os primatas, tem valor secundário na sua adaptação; eles são "estranhos" ao trabalho, enquanto, no homem, é o que marca a cultura, o que desempenha um papel decisivo na luta pela sobrevivência.

O trabalho humano tem como características a atividade coletiva e a relação com a atividade comunicativa, enquanto nos animais atividade produtiva e comunicativa não se confundem. Além disso, a divisão técnica imprime profundas modificações na estrutura da atividade humana. Mas é a preparação dos instrumentos, segundo Luria, o que distingue a atividade do homem primitivo do comportamento do animal, que apenas emprega os instrumentos. A preparação não é dirigida por motivo biológico imediato; supõe o sentido de uso futuro, podendo ser chamada de primeira forma de atividade consciente. E o instrumento usado pelo homem é um objeto social, para além de suas propriedades físicas; é fabricado pelo homem para realizar sua atividade produtiva.

Além disso, segundo Vigotski, a habilidade de produzir um signo, de introduzir recursos psicológicos auxiliares, marca o comportamento humano e a cultura e diferencia os primatas do homem mais primitivo. Nesse sentido, a outra condição que levou à modificação da história, tornando-a cultural, foi a emergência da linguagem. Köhler observou que o limite na inteligência dos chimpanzés se deve à falta do "inestimável instrumento técnico" da fala. Além disso, o autor concluiu que os chimpanzés não criam instrumentos para o amanhã porque não possuem linguagem, e têm um poder imaginativo limitado quanto ao tempo. O uso de símbolos e signos transformou radicalmente a história humana, que passou a ser a história do desenvolvimento desses "meios de comportamento auxiliares artificiais" e a história do controle do homem sobre si mesmo.

FALA E PENSAMENTO

Um grande número de pensadores, entre eles Koffka, sugeriu que a fala humana poderia ser vista como um instrumento do pensamento. Sua observação, feita em um contexto filogenético, foi particularmente importante para Vigotski, que considera que o uso de signos como meios auxiliares para a solução de um problema psicológico (como lembrar, imaginar, comparar, avaliar etc.) é análoga ao uso de instrumentos no trabalho, chamando-os de "instrumento técnico" e "instrumento psicológico". Ele classificou tais processos humanos como "atos instrumentais artificiais" e sugeriu a modificação do esquema de Pavlov para os reflexos condicionados, resumindo na figura de um triângulo o estabelecimento de uma relação mediada por um terceiro elemento (instrumento ou signo) na atividade instrumental:

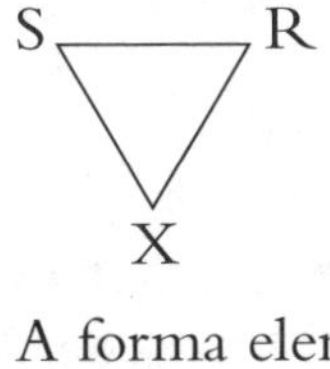

A forma elementar de comportamento seria direta, representada na fórmula S ⟶ R. A estrutura de operações com signos, segundo Vigotski, requer um elo intermediário entre o estímulo e a resposta. Essa colocação do elo faz com que o indivíduo participe ativamente no estabelecimento dessa ligação, e tem a característica de ação reversa, de agir sobre o indivíduo e não sobre o ambiente. No caso da memória, por exemplo, se a pessoa anota na agenda um compromisso, essa anotação funcionaria como um signo para a recordação.

Mas, para Vigotski, a analogia entre signos e instrumentos deveria ser vista com reserva: "[...] essa analogia, como qualquer outra, não implica uma identidade desses conceitos similares. Não devemos esperar encontrar muitas semelhanças entre os instrumentos e aqueles meios de adaptação que chamamos signos. E, mais ainda, além dos aspectos similares e comuns partilhados pelos dois tipos de atividade, vemos diferenças fundamentais". A analogia básica entre os dois encontra-se, segundo o autor, em sua função mediadora. O conceito de mediação foi tomado de Hegel e Marx. Hegel considerava a mediação a característica fundamental da razão humana e fez dela uma noção essencial para distinguir as atitudes animal e humana, concebendo o trabalho como uma ação humana e humanizadora. Marx via na atividade do trabalho uma dupla produção: transformação da natureza em cultura e transformação do próprio homem, no processo de produção. O processo de trabalho seria o processo privilegiado nas relações homem/mundo, para Marx e Engels. Vigotski, estendendo essa análise, distinguiu o instrumento e o signo na sua função mediadora pela orientação: enquanto os instrumentos são externamente orientados, para o controle da natureza, levando a transformações nos objetos, os signos são orientados internamente, para a comunicação e a autorregulação (controle e domínio do comportamento). Como exemplos de instrumentos, temos desde a enxada até as máquinas em geral usadas pelo homem, desenvolvidas ao longo de sua história. Como exemplos de signos, podemos citar as palavras, números, símbolos algébricos, obras de arte, sistemas de escrita, esquemas, mapas, plantas, notação musical etc. A utilização de signos e instrumentos não se limita à experiência pessoal de cada indivíduo, mas refere-se à incorporação da experiência anterior de um determinado grupo cultural. Ao longo da história da espécie humana, as representações da realidade foram organizadas em sistemas simbólicos, isto é, os signos são compartilhados pelo conjunto de membros do grupo social, permitindo a comunicação, a interação e a organização do real, sendo a linguagem o sistema simbólico básico de todos os grupos humanos, como observa Marta Kohl de Oliveira.

INSTRUMENTO E SIGNO

É importante salientar uma ideia básica para a análise de Vigotski: a relação entre o instrumento e o signo. Para ele, não há um sistema de atividade organicamente predeterminado na criança. A transição para a atividade mediada muda fundamentalmente a atividade humana no mundo, assim como os processos psicológicos. O controle da natureza e o controle do comportamento estão mutuamente ligados na ontogênese e na filogênese: a transformação na natureza altera a natureza do homem e a transformação do psiquismo altera a relação humana com o mundo e a forma de usar instrumentos. Vigotski e Luria criticam a consideração por muitos autores do uso de instrumentos e signos isoladamente. Essa é a distinção da sua abordagem: a consideração da fusão entre instrumento e signo.

Além dos signos e instrumentos, o outro também medeia a nossa relação com o mundo, com as outras pessoas e com nós mesmos. Para Vigotski, "o caminho do objeto até a criança e desta até o objeto passa através de outra pessoa. Essa estrutura humana complexa é o produto de um processo de desenvolvimento profundamente enraizado nas ligações entre história individual e história social". Esse outro nem sempre está fisicamente presente, mas está incorporado no processo de apropriação de signos e instrumentos, no uso que fazemos dos objetos que são sociais. A esse respeito, James Wertsch faz uma distinção bastante esclarecedora entre dois tipos de mediação. O primeiro tipo ele denomina "mediação explícita": quando um indivíduo ou outra pessoa que está conduzindo a atividade desse indivíduo introduz intencionalmente um estímulo-meio na dinâmica da atividade. Esse tipo de mediação está presente em muitos dos trabalhos de Vigotski e colaboradores (como nos estudos do desenvolvimento dos conceitos e da memória), onde é salientada a função dos signos na organização da atividade. O segundo tipo é a "mediação implícita", que, segundo Wertsch, tende a ser menos óbvia e mais difícil de detectar, correspondendo a formas de mediação de natureza efêmera, transitória, o que as torna "transparentes" para um observador descuidado. Ela também envolve signos, a linguagem, no processo de comunicação. Nesse tipo, os signos não são propositalmente introduzidos na ação humana, mas são parte de uma corrente de ação comunicativa preexistente. As ideias sobre a mediação implícita encontram-se em vários escritos de Vigotski, em especial no texto Pensamento e Palavra. Se considerarmos suas preciosas análises nesse texto, podemos dizer que, para Vigotski, mesmo a linguagem interior é mediada pela linguagem social; o pensamento, pela palavra.

INTERNALIZAÇÃO

A internalização é outro princípio que está na base da teoria de Vigotski sobre o desenvolvimento humano. É um fenômeno fundamental para a formação dos processos psicológicos, pois, se as características especificamente humanas são desenvolvidas culturalmente, em processos de interação e mediação, o que inicialmente é partilhado deve se transformar em um plano psicológico interno: "Chamamos de internalização a reconstrução interna de uma operação externa", diz Vigotski.

O plano interno, para ele, não é um plano de consciência preexistente que é atualizado, nem uma cópia do plano externo, haja vista o caráter de "reconstrução" enfatizado pelo autor mais de uma vez: "Uma operação que inicialmente representa uma atividade externa é reconstruída e começa a ocorrer internamente". O plano externo, sabemos, para Vigotski, é feito de interações entre sujeitos e com o mundo, mediadas pelos instrumentos, signos e por outros sujeitos. Essas interações são a base para o estabelecimento do plano interno. Ou seja, na perspectiva de Vigotski, externo e interno se vinculam geneticamente. Esses termos podem remeter à dicotomia interno/externo; dessa forma, o conceito de "internalização" tem sido problematizado por vários autores. Ana Luiza Smolka, em "Internalização: seu Significado na Dinâmica Dialógica", aponta a dificuldade de se traçarem movimentos de internalização e externalização como algo que vai "para dentro" e "para fora" e, em outro texto, ela sugere o termo "apropriação" (usado por Bakhtin e Leontiev com diferentes sentidos, e relacionado à dialética de Marx e Engels). No entanto, apesar da possível inadequação do termo, julgamos importante elucidar o seu significado no escopo teórico de Vigotski.

No seu "Manuscrito de 1929", também intitulado "Psicologia Concreta do Homem", Vigotski esclarece: "Para nós, falar sobre processo externo significa falar social. Qualquer função psicológica superior foi externa – significa que ela foi social; antes de se tornar função, ela foi uma relação social entre duas pessoas". Nesse sentido, as funções psicológicas são originalmente relações sociais, emergem no plano da ação entre sujeitos (social), para então se internalizarem e constituírem o funcionamento interno (individual, do sujeito). Essa consideração da dimensão social não está presente em outros autores que usam o mesmo termo ou termos com concepções aparentemente semelhantes sobre a passagem do plano externo ao interno como, por exemplo, Bühler, Freud e Piaget. Para Vigotski, a noção de internalização está relacionada à linha social ou cultural do desenvolvimento, ou seja, à transformação de um fenômeno social em fenômeno psicológico.

O princípio de que o meio sociocultural tem um papel constante e constitutivo no funcionamento do indivíduo, segundo o qual Vigotski formulou sua teoria psicológica, teve influência e, ao mesmo tempo, redimensionou um dos postulados marxistas, na tese VI sobre Feuerbach: "[...] a essência humana não é uma abstração inerente ao indivíduo singular. Em sua realidade, é o conjunto das relações sociais [...]". Um dos pressupostos fundamentais da tentativa de Vigotski de reformular a psicologia a partir dos princípios marxistas, segundo Wertsch, era que, para entender o indivíduo, deve-se primeiro entender as relações sociais das quais ele participa.

Maria Cecília Góes comenta que Vigotski, ao assumir a constituição das formas de ação e da consciência do sujeito nas relações sociais, aponta caminhos para que se supere a dicotomia social/ individual. Vigotski evita tanto o "reducionismo psicológico individual" quanto o "reducionismo sociológico" no estudo do sujeito e situa o seu interesse nos processos sociais "inter-psicológicos" ou "intermentais", nos termos de Wertsch.

É bastante conhecida a "lei genética geral do desenvolvimento cultural", que Vigotski formula em A Formação Social da Mente: "Todas as funções no desenvolvimento da criança aparecem duas vezes: primeiro, no nível social, e, depois, no nível individual; primeiro, entre pessoas (interpsicológica), e, depois, no interior da criança (intrapsicológica). Isso se aplica igualmente para a atenção voluntária, para a memória lógica e para a formação de conceitos. Todas as funções superiores originam-se das relações reais entre indivíduos humanos". Vale notar os adjetivos usados pelo autor: "genética" (diz respeito à sua forma de abordagem das funções psicológicas humanas) e "cultural" (demonstrando que para ele o desenvolvimento das funções psicológicas é cultural, ou seja, que não separa o desenvolvimento psicológico do desenvolvimento cultural ou social). Essa lei envolve afirmações fortes, sob dois aspectos apontados por Wertsch: os termos como atenção voluntária e memória lógica podem ser atribuídos tanto a grupos quanto a indivíduos; há uma conexão inerente entre os dois planos de funcionamento – inter e intrapsíquico –, que não significa simplesmente que os indivíduos aprendem participando do funcionamento interpsicológico. Segundo o autor, Vigotski propõe que se situe a transição da "influência social fora do indivíduo" para a "influência social dentro do indivíduo" no centro da pesquisa psicológica.

Pensando nessa "influência social dentro do indivíduo", lembramos a análise da fala egocêntrica na criança feita por Vigotski: no desenvolvimento inicial, a atenção e a ação da criança são dirigidas pela fala do outro (fala social). Depois, a criança vai gradualmente usando a fala para afetar a ação do outro (fala comunicativa), ao mesmo tempo que ela usa a fala para si (fala egocêntrica). Aos poucos essa fala para si passa a organizar e guiar a ação da própria criança (autorregulação) e ela aumenta em termos quantitativos (a criança fala para si como fala para o outro). Aos poucos, a fala egocêntrica se internaliza, dando lugar ao discurso interno (que também é social).

A internalização é, assim, um conceito que se refere ao processo de desenvolvimento e aprendizagem humana como incorporação da cultura, numa visão própria da perspectiva histórico-cultural e contrária a perspectivas naturalistas, inatistas ou cognitivistas.

A CENTRALIDADE DA LINGUAGEM E DA SIGNIFICAÇÃO NAS RELAÇÕES E NOS PROCESSOS PSÍQUICOS

A importância das relações sociais na constituição do psiquismo humano, na perspectiva histórico-cultural, articula-se à transformação possibilitada pela linguagem, pela criação e uso de signos, processos de significação.

Ao tratar dos fatores decisivos do início da história humana, Luria destaca a linguagem, apontando três mudanças essenciais que ela imprime à atividade consciente do homem: 1. a discriminação dos objetos, a atenção dirigida para eles e a sua conservação na memória – a linguagem designa os objetos e acontecimentos pelas palavras, mesmo quando eles estão ausentes (por exemplo, ficamos sabendo de fatos que ocorreram em várias partes do mundo quando lemos o jornal pela manhã); 2. a possibilidade de abstração de propriedades dos objetos e de generalização, relacionando-se as coisas perceptiveis a categorias (chamamos de jarra diferentes objetos, de vários tamanhos, materiais diversos, e incluímos esse objeto na categoria "decorativo"); 3. a possibilidade de transmissão de informações, ao longo do desenvolvimento histórico-social, por constituir a linguagem um "meio de comunicação" e o "veículo mais importante do pensamento" (podemos dar uma aula sobre a Idade Média com base nos conhecimentos acumulados sobre esse período).

Articulando resultados de pesquisas no nível filogenético e ontogenético, Vigotski analisa a natureza das relações entre o uso de instrumentos e o desenvolvimento da linguagem. Bühler, ao estabelecer similaridades entre o comportamento de crianças pequenas e macacos antropoides quanto às manifestações da inteligência prática (uso de instrumentos), descobriu que o seu início em crianças é independente da fala e afirmou que essa independência permanece por toda a vida. Vigotski concordou com parte dessa análise, pois, para ele, há uma integração entre fala e raciocínio prático ao longo do desenvolvimento. Ao discutir este e outros achados, Vigotski considera que a fala tem um papel essencial na organização das funções psicológicas superiores. Ele critica o estudo do uso de instrumentos isolado do uso de signos, comum entre os psicólogos que analisam o processo simbólico em crianças, que costumam tratar o uso de signos como um exemplo do intelecto puro ou produto da atividade mental (como Stern), ou ainda como fenômenos paralelos (como Piaget), e não como produto da história do desenvolvimento da criança. Diferentemente dos chimpanzés de Köhler que solucionam as tarefas somente se os estímulos estiverem incluídos no campo visual imediato, uma criança que fala demonstra uma liberdade incomparavelmente maior das operações. Em experimentos seus e de colaboradores, Vigotski observou que a fala não só acompanha a atividade prática, mas tem um papel específico na sua realização: no planejamento da solução do problema, no controle do comportamento do experimentador (quando a criança lhe faz perguntas) e da própria criança (fala egocêntrica). Eles observaram que, inicialmente, a fala segue a ação; posteriormente, ela se desloca para o início da atividade, surgindo uma nova relação entre as duas atividades.

Na maioria de seus textos, Vigotski focaliza duas ou mais funções psicológicas, observando como interagem entre si e, principalmente, com a linguagem. Essa prática é coerente com o seu modo de conceber o funcionamento mental: um sistema interfuncional amplo e complexo. Sua abordagem dos "sistemas funcionais" é dinâmica e dialética: durante o processo de desenvolvimento do comportamento, em especial no processo de seu desenvolvimento histórico, o que muda não são tanto as funções, mas as relações entre as funções.

Devido ao lugar que a linguagem ocupa no escopo da teoria, Vigotski relaciona as transformações na palavra e as transformações no sistema funcional. Por exemplo, ao relacionar a memória e o pensamento, ele analisa como, na criança pequena, o pensamento é fortemente determinado pela sua memória. Um dos exemplos citados por ele refere-se à emergência do conceito na criança. Ao lhe perguntarem o que é um caracol, ela responde que é pequeno, escorregadio e pode ser esmagado com o pé, pois, para a criança pequena, pensar é recordar. Durante o desenvolvimento da criança, perto da adolescência, produz-se uma mudança decisiva. As relações interfuncionais variam, então, em sentido oposto: para o adolescente, recordar é pensar. Memorizar passa a ser estabelecer e encontrar relações lógicas. Vigotski considera que as conexões que estão por trás das palavras são radicalmente distintas na criança e no adulto: nas palavras infantis, o significado se constrói de forma distinta do que nas nossas. Vigotski escolheu o significado da palavra como a unidade de análise das funções psicológicas culturais por ser um fenômeno tanto da palavra quanto do pensamento.

DIMENSÃO SEMIÓTICA

Wertsch considera que, ao longo da investigação de Vigotski, houve uma evolução na noção de "instrumento psicológico", para uma direção mais semioticamente orientada, e ele passou a enfatizar cada vez mais a natureza significativa e comunicativa dos signos. Essa orientação é explicada como tendo origem nos estudos literários e filológicos empreendidos por Vigotski, e ela certamente guiou a sua investigação sobre o significado da palavra e a linguagem interior.

O primeiro trabalho de Vigotski foi uma análise de Hamlet, de Shakespeare – A Tragédia de Hamlet, Príncipe da Dinamarca. Em 1925, ele publicou A Psicologia da Arte. São reconhecidas as influências no pensamento do autor da semiótica e da poesia russas, bem como da linguística, mais especialmente do Formalismo Russo, com relação ao qual há também discordâncias. Estas participam na constituição da noção de mediação semiótica de Vigotski, a qual, em muitas análises realizadas sobre o seu trabalho, fica restrita à influência da explicação de Pavlov sobre o "segundo sistema de sinais", conforme a análise de Werstch.

Vigotski estendeu a formulação de Pavlov, ao realizar a distinção entre sinalização e significação. "Se a atividade fundamental e mais geral dos hemisférios cerebrais dos animais e dos homens é a sinalização, então a atividade básica e mais geral dos homens, a atividade que sobretudo distingue os homens dos animais do ponto de vista psicológico, é a significação [...] A significação é a criação e o uso de signos, isto é, de sinais artificiais [...]". Esse aspecto criador do homem, de atribuir significados, é que o distingue radicalmente dos animais. A "criação e uso de signos", segundo Wertsch, não fez parte das questões que Pavlov levantou. Para Vigotski, a emergência da significação está ligada a "um novo princípio regulador da conduta".

Uma das passagens mais bonitas, incluída em A Formação Social da Mente, sobre a forma de analisar o psiquismo humano emergente em processos de significação é a sua análise do gesto de apontar do bebê: "A criança tenta pegar um objeto colocado além de seu alcance; suas mãos, esticadas em direção àquele objeto, permanecem paradas no ar. Seus dedos fazem movimentos que lembram o pegar. Nesse estágio inicial, o apontar é representado pelo movimento da criança [...]. Quando a mãe vem em ajuda da criança, e nota que o seu movimento indica alguma coisa, a situação muda fundamentalmente. O apontar torna-se um gesto para os outros. A tentativa malsucedida da criança engendra uma reação, não do objeto que ela procura, mas de uma outra pessoa. Consequentemente, o significado primário daquele movimento malsucedido de pegar é estabelecido por outros. Somente mais tarde, quando a criança pode associar o seu movimento à situação objetiva como um todo, é que ela, de fato, começa a compreender esse movimento como um gesto de apontar. Nesse momento, ocorre uma mudança naquela função do movimento: de movimento orientado pelo objeto, torna-se um movimento dirigido para uma outra pessoa, um meio de estabelecer relações. O movimento de pegar transforma-se no ato de apontar".

No "Manuscrito de 1929", Vigotski afirma que o desenvolvimento cultural passa por três estágios: "em si, para outros, para si". Não nos relacionamos com um mundo físico bruto, mas com um mundo interpretado pelos outros. O que apreendemos e tornamos nosso (objeto, atividade, imagem etc.) se estabelece inicialmente em uma relação social e significativa. O que é internalizado é a significação da ação, não a ação ou os objetos em si mesmos, mas a signficação que tem para as pessoas e emerge na relação, conforme analisa Pino. Dessa forma, a noção de internalização não pode ser pensada sem a referência à noção de mediação simbólica ou semiótica, mais especificamente a mediação pela linguagem.

Os princípios da mediação e da internalização na teoria vigotskiana devem ser vistos, segundo Smolka, como relacionados aos processos de significação, na consideração da centralidade do signo e do estatuto da linguagem na obra do autor. No movimento intersubjetivo, no processo relacional de produção de signos e sentidos, tornamos nossos os significados partilhados, que nem sempre coincidem. Hoje podemos dizer que múltiplos significados e sentidos se produzem no processo de apropriação da cultura, na participação em práticas sociais e históricas.

Contribuições para a educação

MODOS DE ENSINAR, SENTIR E PENSAR

por Ana Luiza Bustamante Smolka e Lavínia Lopes Salomão Magiolino

O drama humano, o sentimento trágico da vida, a literatura e a arte repercutem profundamente nas reflexões teóricas de Vigotski

A ideia de que "há um tempo para cada coisa" é quase um lugar-comum hoje. Livros, músicas e outros meios a proclamam e a disseminam há séculos. Ela aparece registrada, por exemplo, em uma das reuniões do grupo de pesquisa, da qual participavam Vigotski, Leontiev, Luria e outros companheiros, em 1933. Eles discutiam sobre o problema da consciência e ao darem-se conta da necessidade e da importância de uma mudança de foco nas investigações que vinham desenvolvendo, ao reconhecerem que não haviam considerado anteriormente algumas questões que se tornavam relevantes, um deles, provavelmente Zaparozetz, anotou na margem do caderno: há um "tempo para espalhar as pedras e outro para recolhê-las", trecho do Eclesiastes (3:5). O trabalho investigativo levava o grupo a novas indagações, que geravam novas formulações dos problemas, que resultariam em novas conclusões, que demandariam novas pesquisas... Ideias em movimento, (trans) formação das ideias, trabalho interminável na construção de conhecimento.

Vigotski não só participa dessa construção, mas indaga-se sobre ela, investiga e teoriza sobre a produção histórica do conhecimento e sobre a participação dos indivíduos, sujeitos singulares, nessa produção.

Ao proferir uma série de palestras para professores sobre imaginação e criação na infância, em 1930, ele escreveu um trecho que tem se tornado epígrafe em muitos trabalhos acadêmicos: "Todo inventor, até mesmo um gênio, também é fruto do seu tempo e do seu ambiente [...]. Nenhuma invenção ou descoberta científica pode vir à luz antes de terem aparecido as condições materiais e psicológicas necessárias à sua manifestação".

Vigotski insiste nesse ponto: é na trama social, a partir do trabalho e das ideias dos outros, nomeados ou anônimos, que é possível criar e produzir o novo. Não se cria do nada. A particularidade da criação no nível individual implica, sempre, um modo de apropriação e participação na cultura; encontra-se, sempre, historicamente situada. As afirmações, que ressaltam a importância das condições históricas e da ambiência cultural na produção do conhecimento, têm raízes em outros textos, de outras épocas.

A filosofia da história de Hegel e as discussões que Marx empreendia com essas ideias filosóficas encontram-se nas raízes das inspirações de Vigotski. Hegel, no século XVIII, mostrava uma preocupação explícita com o pensamento situado historicamente, e dizia que cada filosofia é "o espírito da época existente como espírito que se pensa". Há um pensamento que emerge em cada tempo histórico; ele surge "no devido momento, nenhum ultrapassou o seu tempo". Marx, por sua vez, no "Editorial número nº 179 da Gazeta da Colônia" argumentava que "os filósofos não brotam da terra como cogumelos, eles são os frutos de seu tempo, de seu povo, cujas forças mais sutis e mais ocultas se traduzem em ideias filosóficas. O mesmo espírito fabrica as teorias filosóficas na mente dos filósofos e constrói as estradas de ferro com as mãos dos operários".

De fato, é cada vez mais aceita a ideia de que as invenções e as elaborações teóricas de um autor enraízam-se na sua própria vida, na ambiência cultural de sua época, naquilo que ele pôde perceber, sentir, conhecer, problematizar, dizer, dadas as suas condições de existência.

Mais se os movimentos de elaboração filosófica, teórica e conceitual são situados em contextos ou circunstâncias específicas de espaço e tempo, perguntamos: como as ideias e as teorias se sustentam para além de suas épocas? Como elas persistem? Como se transformam? O que persiste das teorias, o que delas sobrevive, e o que as torna interessantes, viáveis, fecundas em outros momentos, em outras épocas?

Podemos dizer que o que torna uma teoria viva é a possibilidade da interação e do diálogo que se viabiliza entre leitores e autores de um texto; as condições de interlocução e seus interlocutores; o que ressoa das ideias ou o que elas produzem em seus desdobramentos; o que elas provocam e instigam, o que possibilitam enxergar e compreender do mundo e do homem no mundo. O que faz uma elaboração teórica persistir é a relação daquilo que a teoria explica ou ajuda a compreender com o modo como os leitores respondem ou replicam a ela; mas é também o modo como os leitores participam das ideias, se apropriam delas, e nelas se implicam.

É das ideias de Vigotski que vamos falar aqui. Ideias que foram tecidas a partir de uma ampla e intensa herança cultural, envolvendo as contribuições de incontáveis pensadores, como Platão e Aristóteles, Descartes e Spinoza, Kant e Hegel, Darwin e Marx, Freud e Nietzsche; Kohler e Pavlov; Bühler e Bergson; Blonski e Lewin; Janet e Ribot; Shakespeare, Tolstói, Dostoiévski; Stanislavski e Eisenstein; Potebnia, Eikenbaum, Yakubinski etc., só para mencionar alguns.

CIRCUNSTÂNCIAS HISTÓRICAS

Vigotski é afetado, mobilizado pelas ideias desses autores enquanto é impactado pelos acontecimentos – Revolução Russa; discriminação; enfermidade... Há quase um século, ele produziu uma obra que se situou primordialmente no âmbito da psicologia do desenvolvimento humano. Essa obra, que caracteriza o seu trabalho como psicólogo, se delineou e ganhou corpo com base na literatura, na arte, no teatro, no drama. O conjunto de seus escritos nos mostra uma profunda preocupação com a condição humana, uma enorme ânsia de conhecimento, uma grande sensibilidade e abertura às ideias de outros e, ao mesmo tempo, uma reiterada convicção, consistentemente argumentada, da construção social e histórica da consciência.

Falar de Vigotski hoje adquire já um sentido de lugar-comum. A divulgação de seu trabalho, sobretudo nas três últimas décadas, tem colocado em destaque algumas ideias e conceitos como a natureza social do desenvolvimento humano, o papel do outro, a mediação semiótica, a Zona de Desenvolvimento Proximal. Repercutindo fortemente no âmbito da educação, essas ideias e conceitos têm circulado atualmente em muitas propostas e programas de ensino. Cursos, concursos, teses e projetos têm apontado a teoria de Vigotski como importante e necessária às discussões sobre a educação contemporânea.

Qual a atualidade de suas ideias? O que faz diferença na sua proposta? Quais as implicações de seu posicionamento teórico? Quais podem ser, hoje, as contribuições de Vigotski, se ele mesmo advogou a transformação e a produção histórica e sempre renovada do conhecimento?

Em se falando da produção histórica do conhecimento, vale comentar aqui sobre um livro intitulado The Social Mind. Construction of the Idea (A mente social. Construção da ideia), publicado em 2000, por Jaan Valsiner e René Van der Veer, dois renomados comentaristas e divulgadores de Vigotski. Eles apresentam um minucioso estudo analítico das propostas de vários pensadores que, na passagem do século XIX para o século XX, debatiam a noção de mente social. Essa ideia se dissemina e ganha relevo especial nas últimas décadas do século XX.

O objetivo de Valsiner e Van der Veer é compreender a construção histórica da noção de psiquismo social e dar visibilidade à trama dos conceitos, especialmente, no campo da psicologia. Para isso, eles examinam os diferentes contextos de produção, as preocupações e os argumentos levantados pelos vários pensadores para a sustentação teórica desse modo de conceber a dimensão psíquica do homem (como: Le Bon, Janet, Baldwin, Mead).

Ao final do livro podemos perceber como as elaborações de Vigotski não só se coadunam com, e reúnem de maneira consistente, muitas das contribuições de seus contemporâneos, mas adensam argumentos em relação a elas. Ou seja, nas elaborações de Vigotski encontramos uma discussão e a explicitação de argumentos que nos ajudam a compreender, tanto no âmbito da história quanto na esfera do desenvolvimento individual, a formação social da mente.

Se muitos dos autores admitiam a dimensão social da mente, eles não necessariamente consideravam a gênese social do funcionamento mental especificamente humano. Assim, uma das diferenças que se mostra na proposta de Vigotski consiste no seu modo de explicar a emergência histórica do psiquismo humano e a dinâmica de seu funcionamento.

Discutindo com psicólogos, reflexólogos, filósofos, médicos, linguistas e antropólogos da época, ele argumenta sobre a plausibilidade de se pensar a sociogênese do desenvolvimento humano e do conhecimento, enfatizando a importância de se conceber e investigar o desenvolvimento ontogenético, do indivíduo singular, profundamente afetado pela cultura e pela história. Em um de seus textos, ele diz: "Modificando a conhecida tese de Marx, poderíamos dizer que a natureza psíquica do homem vem a ser o conjunto das relações sociais convertidas em funções da personalidade [...]. Vemos nessa tese a expressão mais completa de todo o desenvolvimento cultural [...] Diferentemente de Piaget, supomos que o desenvolvimento não se orienta para a socialização, mas para a conversão das relações sociais em funções psíquicas [...]. A pergunta que fazemos é como o coletivo cria, em uma ou outra criança, as funções psíquicas superiores".

Os esforços de compreensão do desenvolvimento histórico da consciência e a incorporação do princípio da sociogênese a partir das bases materiais da existência possibilitam um salto qualitativo nas suas elaborações teóricas e na sua argumentação com pesquisadores nos mais diversos campos de investigação.

E Vigotski conclui: "A história do desenvolvimento cultural nos leva de cheio aos problemas da educação".

PSICOLOGIA E EDUCAÇÃO: DESENVOLVIMENTO CULTURAL E ORGANIZAÇÃO DRAMÁTICA DO PSIQUISMO

Ao levarmos em consideração a repercussão de conceitos já amplamente discutidos (internalização, mediação, ZDP, elaboração conceitual etc.), optamos por destacar aqui três noções que se encontram profundamente relacionadas na concepção de Vigotski – desenvolvimento cultural, psiquismo e drama. Analisaremos posteriormente algumas implicações dessas relações.

No "Manuscrito de 29" (texto traduzido diretamente do russo para o português e publicado na revista Educação e Sociedade em 2000), Vigotski propõe que a psicologia seja estudada em termos de drama. E afirma: "as funções mentais são relações sociais internalizadas". Levanta, assim, a hipótese de uma "organização dramática do psiquismo humano" e busca explicar essa organização como resultante da dinâmica das relações sociais vivenciadas pelos indivíduos.

A procura de uma explicação plausível para a emergência histórica da consciência, nos planos individual e social, levou os pesquisadores da chamada troika, na psicologia russa, aos estudos sistemáticos dos processos psíquicos. Com base nas contribuições dos neurologistas Anokin e Goldstein, Vigotski e Luria se referem ao conceito de sistema funcional complexo, que possibilitava a compreensão de uma relação dinâmica e de interconstituição entre as funções psicológicas. O argumento é que as funções psicológicas não funcionam apenas de forma isolada ou paralela, mas se afetam, entram em conexão e, nesse processo, promovem profundas e significativas mudanças no psiquismo humano.

Falar de psiquismo, para Vigotski, é falar, portanto, do conjunto das funções psicológicas (percepção, atenção, memória, imaginação, raciocínio ou pensamento lógico, linguagem, emoção etc.), de seu funcionamento e interconstituição intrinsecamente relacionados às condições e formas de organização das relações sociais. Essa concepção permite a Vigotski defender e ancorar teoricamente a noção de que as funções psicológicas superiores são ao mesmo tempo intelectuais e afetivo-volitivas. "Tudo reside no fato de que o pensamento e o afeto representam partes de um todo único – a consciência humana." A relação de interfuncionalidade e interconstituição das dimensões intelectual e emocional, que se torna possível na história humana, redimensiona as condições e possibilidades de desenvolvimento.

Vigotski fala na história do desenvolvimento cultural da criança e busca articular aspectos que ele considerava separados na psicologia da época: comportamento, personalidade; vontade, consciência. Em vários momentos de seu trabalho ele argumenta que "o homem domina os processos de seu próprio comportamento. Mas a premissa imprescindível para esse domínio é a formação da personalidade [...]". Ele busca os fundamentos dessa formação nas relações sociais.

As contribuições de P. Janet e J. Baldwin são particularmente relevantes. Eles trabalham com a ideia de socius, um participante social da vida individual, e propõem a de personalidade como obra social, enfatizando que a personalidade individual se constrói nas relações do indivíduo com outras pessoas com as quais ele interage. Outras formulações também sustentam essa posição: "O homem é geneticamente social; o outro é um eterno parceiro do 'eu'", afirma Wallon. "O homem é um agregado de relações sociais", escreve Marx. "Para nós, o homem é uma pessoa social", diz Vigotski.

Em seus esforços de elaboração teórica, Vigotski propõe a emergência da dimensão semiótica, isto é, a produção de signos, o princípio da significação, como chave para se compreender a conversão das relações sociais nas funções psicológicas. Vigotski apresenta uma aproximação entre signo e instrumento, ressaltando as características da atividade mediada. O signo, instrumento da atividade psicológica, opera de maneira análoga ao papel de um instrumento no trabalho. A essência desta atividade consiste no fato de os homens serem capazes de afetar o seu próprio comportamento através dos signos. Aqui se coloca a fundamental importância da forma verbal de linguagem que, ao viabilizar formas específicas de generalização e comunicação, possibilita também a regulação do comportamento e o planejamento de ações.

A palavra faz a mediação e pode regular as relações entre as pessoas. Operando no plano individual, as formas de interação verbal participam da constituição das funções psicológicas e criam a base para a estrutura social da personalidade. "Eu sou uma relação social comigo mesmo; a dinâmica da personalidade é drama", afirma Vigotski, no "Manuscrito de 29". Angel Pino expande essa ideia no artigo "O Social e o Cultural na Obra Vigotski": "[...] Podemos então dizer que as funções psicológicas são a conversão, na esfera privada, da significação que as posições sociais têm na esfera pública [...] as funções psicológicas são função da significação que as múltiplas relações sociais têm para cada um dos envolvidos nelas, com todas as contradições e conflitos que elas envolvem em determinadas condições sociais".

Vigotski comenta e elabora sobre o drama. Faz alusão aos personagens da Commedia del'Arte, que já fazem parte de nosso imaginário, como a Colombina e o Arlequim, e assinala os papéis fixos que cristalizam diferentes dramas: a mulher apaixonada, o homem venturoso que tem o seu amor... Para ele o drama com papéis fixos representa a antiga psicologia, cuja noção de uma personalidade fixa ele critica. Ao fazer referência à psicologia de Politzer, Vigotski analisa os papéis sociais – de juiz, marido – e a hierarquia das funções psicológicas que muda nas diferentes esferas da vida social.

A ordem, a hierarquia e as relações entre pensamento e desejo mudam de acordo com as posições sociais que os sujeitos ocupam.

Interessante acompanhar a análise que Vigotski faz de Hamlet. Enquanto a crítica literária apontava a covardia e a loucura na inação do herói, Vigotski se torna sensível ao drama do sujeito que deve matar, mas não mata; deve vingar a morte do pai, mas adia a decisão; duvida, divaga, hesita. Comprovada a traição, a vingança é socialmente legitimada. No entanto, ele posterga a ação. O drama se converte em tragédia.

Hamlet é, para Vigotski, o homem que, prototipicamente, vivencia múltiplos papéis: é filho e sobrinho; louco e sofredor; príncipe e covarde. Constitui-se em diferentes posições, imerso numa complicada trama de relações e acontecimentos. A personagem de Shakespeare sintetiza o drama humano ao mesmo tempo que mostra a dinâmica das relações sociais constitutivas da personalidade individual. Condensa as tensões e as contradições da condição humana e, nesse sentido, desfaz dualismos: a dimensão individual é intrinsecamente social; a biológica é cultural; a racional é emocional. Vida e arte se entretecem, se confundem.

O drama humano, o sentimento trágico da vida, a literatura e a arte repercutem profundamente e se transformam nas reflexões teóricas de Vigotski. A pesquisa que ele realiza no campo da psicologia, e que se impõe como uma busca de compreensão da história do homem e da produção da cultura se articula, dialeticamente, à consciência dramática de sua própria vida.

RELAÇÕES DE ENSINO E INSTITUIÇÃO ESCOLAR: IMPLICAÇÕES E INSPIRAÇÕES DE UMA POSIÇÃO TEÓRICA

É importante primeiramente lembrar que uma preocupação central nos trabalhos de Vigotski, desde o início, dizia respeito aos modos de ensinar, aos modos de estudar as relações de ensino, e aos resultados ou efeitos dessas relações. Suas elaborações teóricas, portanto, traziam em seu âmago a questão da educação.

É da educação formal que vamos falar agora e optamos, para tanto, por fazer um comentário analítico de uma cena do cotidiano escolar. Vimos ressaltando neste texto duas ideias que consideramos fundamentais nas elaborações teóricas de Vigotski: o desenvolvimento cultural e a organização dramática do psiquismo. Pensando nas possíveis repercussões, inspirações e implicações dessas ideias nas relações de ensino, procuramos desdobrar e dar visibilidade a três aspectos que nos parecem fecundos para a discussão: 1. a posição dos sujeitos e a produção de sentidos na atividade humana; 2. o desenvolvimento e a dinâmica das funções superiores; e 3. os instrumentos técnicos e semióticos no processo de apropriação da cultura e do conhecimento.

CENA

Quarta série do ensino fundamental, escola pública, rede estadual de ensino. A professora da turma propõe aos alunos a leitura e a dramatização de um poema. Os papéis são distribuídos e uma aluna inicia a leitura. A cena é registrada em vídeo por uma pesquisadora, ex-professora da escola.

Uma aluna lê timidamente: "Um poema animado anima a alma, a lua inspira o poeta...". Pesquisadora, professora, e alunos se surpreendem: haviam esquecido o poeta! A professora indaga: "Quem quer arriscar um versinho?". Várias crianças se oferecem. Um aluno, sem esperar consentimento, diz: "Subi e desci não te esqueci! Subo e desço não te esqueço!". Todos parecem não prestar atenção. Até que um dos alunos levanta-se em frente à câmera e caminha em direção à professora bastante determinado: "Ô dona eu sei, eu sei!" A professora hesita e concorda: "Tá! Você é o poeta! Vai aparece lá o poeta. Poeta tem que ser bem sério". O aluno posiciona-se ao lado da lua e do sol, sorrindo, tenta certificar-se de que fora mesmo escolhido: "Qualquer um?". O aluno sorri, arruma a camisa dentro da bermuda. Um colega ainda tenta intervir: "Deixa eu falar um", e põe a mão em concha em seu ouvido. O aluno se vira, desvencilhando-se, parece querer se concentrar e se preparar para recitar o poema. Cruza os braços sobre o peito e faz uma cara séria. A narradora recomeça: "Um poema anima a alma, a lua inspira o poeta...". O aluno-poeta declama: "Olhos que penetram em minha alma e me aquecem. Corpo que me enreda de beleza no mundo dos mortais. Enrolo-me em seus braços, em seu corpo e assim sinto todo seu amor!" Palmas, risos e assobios. Todos parecem surpresos. A professora diz: "Que poeta, hein?". A pesquisadora murmura: "Onde você arrumou esse versinho?". Ele, com um sorriso no rosto, afirma: "Ah, eu decorei de um cartão telefônico".

As crianças leem e encenam um poema: podemos dizer que temos aqui uma cena (dramatização do poema) dentro de outra cena (situação vivenciada em aula), que aparece ainda registrada em outra instância, o vídeo. Mostra-se, então, um interessante jogo de cenas, possibilitado pelas tecnologias. Operando com o zoom de uma câmera imaginária, vamos nos aproximar da composição da encenação do poema.

Os alunos devem representar o sol e a lua. Mas é para o "poeta esquecido" que vamos orientar nossas análises. Vejamos: poeta é o autor do poema, aquele que dá alma às palavras, dá alma às imagens, aquele que cria poesia. Mas é também a personagem, aquele a quem o sol e a lua afetam e animam. Na encenação, o lugar de poeta, móvel e transitório, permanece vazio. Quem dentre os alunos pode ou deseja assumir o papel? A professora orienta as ações das crianças; indica alguns alunos que se recusam, enquanto outros, que não são chamados, recitam rimas. Em meio às diferentes posições e modos de participação no grupo, um dos alunos se aproxima da professora, afirma saber e querer arriscar um verso. Protagonista inusitado na situação, surpreende a todos. Por quê? O que produz esta surpresa?

O aluno desempenha seu papel com firmeza e desenvoltura. A surpresa decorre do inesperado de seu desempenho, que não corresponde às imagens correntes que os outros fazem de sua pessoa. É importante levar em conta, então, a história desse sujeito que se entretece à rede de demandas e expectativas na prática escolar. As imagens que caracterizam esse aluno correspondem à noção do insucesso escolar: é fruto de "família desestruturada", é "malcuidado" e "desinteressado", "desatento" e "problemático".

Se as imagens se constituem socialmente, no jogo de relações, no e pelo discurso, na e pela palavra do outro, como essas palavras e imagens afetam os sujeitos nesse processo? Como interferem no sentido desta atividade, nos modos de apropriação do conhecimento dentro e fora da escola? Palavras e imagens afetam os sujeitos e muitas vezes definem as condições e os modos de participação e apropriação do conhecimento nas relações de ensino: quem ensina e quem aprende, quem sabe e quem não sabe, quem pode e quem não pode ocupar quais lugares. Como esse aluno, com essas marcas, pode ocupar um lugar de poeta?

O que não aparece na cena descrita são pressupostos ou preconceitos que se mantêm contidos, ocultados com relação ao aluno, mas que se insinuam, de repente, na hesitação da professora e na reação de surpresa do grupo. Problematizar a surpresa contribui para explicitar aspectos importantes que significam na situação.

PROCESSOS DE INTERCONSTITUIÇÃO

Mesmo sendo considerado um dos mais "difíceis" da classe, o aluno é acolhido pela professora apesar de sua hesitação. Ela conhece sua história de vida. Essa história, no entanto, não é usada para justificar a indisposição do aluno frente às tarefas e ao conhecimento escolar. Compreender essa história é compreender o sujeito em seu processo de constituição e mudança em meio às con(tra)dições que se (im)põem na vida e na escola. Isto abre a possibilidade de construir outras histórias, viabilizar outros modos de participação e constituição da subjetividade. Esse aluno, que se dispõe a assumir o lugar de um poeta, mostra-se concentrado, inspirado; encanta, emociona.

A palavra da professora, as palmas, assobios e elogios dos colegas vão colocando o aluno em outra posição: o aluno-poeta, o poeta. Ser poeta muda a relação, muda o sentido da ação. Ser aceito, poder falar, ter voz, ser ouvido, afeta não só o aluno-poeta, mas os sujeitos em relação. Neste processo de interconstituição, o social e o pessoal vão se (trans)formando dialeticamente, abrindo a possibilidade para que as experiências sejam (cri)ativamente (re)significadas num processo singular e ao mesmo tempo coletivo. Essa dinâmica das relações constitui-se como um drama, que, vivenciado no âmbito das relações interpessoais, torna-se significativo na esfera individual.

A preocupação com a dinâmica dos aspectos afetivo e intelectual marca os trabalhos de Vigotski. Em suas investigações ele analisou uma série de experimentos que visavam a estudar a atividade da criança durante a solução de tarefas. Ele aponta que o sentido da situação era de fundamental importância e determinava para a criança toda a força e a dinâmica do impulso afetivo e do pensamento vinculado à situação. Por outro lado, chamava a atenção para o fato de que a mudança de papéis, ao incidir na dinâmica afetivo-volitiva que, por sua vez, afeta a dinâmica intelectual, (trans)forma o sentido, a própria experiência e a personalidade. A personalidade não se constrói como um papel fixo, de forma cristalizada, objetificada, mas vai sendo dialeticamente forjada, emergindo da interação entre várias imagens, papéis e relações sociais.

Na relação de ensino, a prática de leitura e a dramatização do texto literário possibilitam uma mudança de papéis (aluno malsucedido – aluno poeta) e uma mudança na dinâmica afetivo-intelectual (desinteresse – interesse; indisposição – disposição; desafeto – afeto). Numa íntima relação de conflito e interconstituição – pensamento, memória e emoção acompanham-se, (re)compõem-se numa (in)tensa relação dialética.

A emoção, aqui, não se reduz à tão proclamada afetividade na relação professor-aluno. O problema não é ser ou não ser afetivo, ter ou não ter afeto, e demonstrá-lo ou não para seus alunos. A questão passa a ser outra. Falamos aqui da emoção que participa intrinsecamente na interconstituição do funcionamento mental. Falamos daquilo que mobiliza e afeta os sujeitos nas relações com os outros e com o conhecimento, e dos modos como os sujeitos se implicam e se envolvem nessas relações.

Assim, a história do aluno, a mudança de lugar, a mudança de posições nessa intrincada trama produzem novos sentidos e significados, novas relações entre as funções, novas relações entre pensamento e emoção, que reverberam no modo como ele passa a se relacionar com o conhecimento – do outro, de si, do mundo, da escola. O conhecimento passa a fazer sentido para o sujeito.

A PRODUÇÃO DO CONHECIMENTO

O que pode surpreender ainda na situação analisada é a possibilidade de esse aluno declamar o poema que declama, referir ao poeta que refere. Ele declama Fernando Pessoa e o suporte do poema é um cartão telefônico. O aluno poeta nos leva a refletir sobre como funcionam as práticas de memória na sala de aula e sobre o que tem sido esquecido nas práticas escolares. A situação nos leva a pensar em como instrumentos técnicos e signos afetam e constituem a memória humana; e a indagar sobre os objetos como lugares de externalização da memória, como suportes de memória. Esse foi um dos assuntos particularmente caros a Vigotski em seus estudos sobre a mediação.

Encontrar fragmentos da obra literária disseminada e reproduzida num cartão telefônico também pode surpreender. O que parecia inconcebível até a pouco tempo já vai se tornando ultrapassado. Hoje, não são mais os cartões telefônicos que se carregam nos bolsos. São os celulares multifuncionais, que carregam textos, fotos, música, dicionário, catálogo, mapas, internet. Os usos das tecnologias são rapidamente incorporados, enquanto parecem ser cada vez mais ignorados e distanciados os conhecimentos que as viabilizam, as produzem, as sustentam.

Os usuários, os consumidores, os portadores do conhecimento, parecem ter o mundo cada vez mais rápido na palma da mão. Têm a memória no bolso, podem ter acesso à informação em tempo real e pesquisar qualquer assunto on-line. As práticas, o conhecimento, encontram-se condensados num pequeno apetrecho portátil. Os gestos abreviam-se num aperto de botão, num toque na tela. É nesse sentido que ressaltamos o estatuto dos instrumentos técnicos e semióticos na história da produção cultural do homem, e as condições de acesso e utilização dessa produção nas relações de ensino. As ideias de Vigotski, que enfatizam o aspecto constitutivo e transformador dos instrumentos e signos na atividade e no psiquismo humano, nos ajudam a enxergar, a problematizar e a investigar essas questões.

A compreensão do impacto que tem a utilização dos inúmeros instrumentos técnico-semióticos na escola – que abrangem desde os recursos considerados mais primários, como o giz, o lápis e o papel, cadernos e livros, até as novas tecnologias de (in)formação – leva-nos a indagar não só sobre o que os homens fazem com os instrumentos, mas também sobre o que os instrumentos fazem com os homens, afetando e transformando as práticas sociais.

Vamos percebendo que se, por um lado, os novos recursos como a mídia e a informática são fundamentais como conteúdo da educação das novas gerações, por outro lado, não podemos descartar as muitas outras formas de produção humana: o poema, o livro, o teatro... Mudam os saberes, mudam os suportes, mudam as práticas inscritas nos corpos, mudam os gestos... mudam também os modos de ensinar e de aprender. Mas parecem persistir, nas práticas e na história humana, as relações de ensino.

Uma importante contribuição de Vigotski parece se mostrar, assim, no modo como ele acolhe, no campo de suas elaborações teóricas, o movimento tenso e dialético de (trans)formação social da mente; em como ele concebe o desenvolvimento cultural e explica a constituição histórica do psiquismo humano; em como ele nos ensina a ver, a analisar, a investigar e a compreender os modos de participação dos sujeitos na produção coletiva de conhecimento.

O legado - I

A CONSTRUÇÃO CULTURAL DA IMAGINAÇÃO

por Zilma de Moraes Ramos de Oliveira

A importância das relações sociais na formação da consciência e do sentido de si pelo sujeito reside em serem elas a matriz de introdução do recém-nascido no conjunto de signos presente na cultura

A vida de Vigotski, segundo Alex Kozulin, apresenta uma notável e sugestiva qualidade literária, que repousa sobre uma tensão criativa entre um pensador e a nova sociedade que se delineava em seu tempo. Desafiado a refazer as bases da psicologia que então se conhecia no Ocidente, ele partiu de um aprofundado estudo crítico que fez a várias áreas do conhecimento e elaborou um rico pensamento sobre as bases históricas e culturais da formação do Homem.

Vigotski buscou identificar os aspectos característicos da conduta e do conhecimento humanos. Para ele, todas as funções psicológicas superiores – o modo de memorizar, de resolver problemas, de localizar-se espacialmente, de elaborar conceitos, de sensibilizar-se por algo ou por alguém – originam-se da internalização de relações sociais envolvendo o sujeito e seus parceiros em uma cultura, tema que começou a ser debatido no final do século XIX e início do XX por autores como James Baldwin e Pierre Janet, e que ele reformulou a partir de Marx.

A importância das relações sociais na formação da consciência e do sentido de si pelo sujeito reside em serem elas a matriz de introdução do recém-nascido no conjunto de signos presente na cultura. Estes não são criados ou descobertos pela criança, mas são por ela apropriados desde o nascimento na sua relação com parceiros mais experientes, os quais atribuem determinadas significações a suas ações em situações em que estão presentes determinadas formas de relações sociais e de uso de signos na execução de tarefas (ou seja, formas de desempenho de papéis determinados: de pai, de juiz, e também de perguntador, apoiador, opositor e outros).

A apropriação desses signos e o uso deles pela criança como recursos de sua atividade psicológica reestruturam esta atividade, intensificando e ampliando suas possibilidades, assim como o emprego de ferramentas como a pá, o martelo etc. transforma a atividade natural dos órgãos dos sentidos e dos órgãos motores. Conforme a criança passa a utilizar signos socialmente construídos e aprendidos em sua experiência anterior para orientar seu comportamento, ela reage às situações cotidianas utilizando formas de ação mais complexas e sofisticadas.

Esse olhar privilegiado para as interações sociais leva Vigotski a investigar a ligação entre cognição e emoção, e a nos convidar a apreender as ações humanas na interface dos motivos, necessidades, inclinações e impulsos pessoais presentes nas experiências diárias dos indivíduos. Segundo ele, os fenômenos emocionais podem ser considerados como a resposta do sujeito diante de uma situação existente ou possível, que favorece ou não uma atividade vital e corresponde, ou não, a certas normas e orientações de valor. Em cada ideia, continua ele, está contida, sob uma forma elaborada, a relação afetiva do homem com a realidade nela representada.

O foco nas interações com outros indivíduos levou Vigotski a reconhecer que a apropriação da linguagem de seu grupo social em decorrência destas interações constitui o processo mais importante no desenvolvimento humano. A emergência da linguagem verbal, de um agir comunicacional, vai regular a atividade em geral da criança, pelo estabelecimento de um acordo sobre os objetivos e as formas de ação mais complexas, que podem ser então planejadas, avaliadas.

Os adultos interagem com as crianças estimulando-as a incorporar, desde o nascimento, os significados e modos de operar com a informação que foram sendo historicamente construídos em uma determinada cultura. Isso se dá por meio de gestos indicativos e de questões estruturadoras trocadas pelos parceiros em tarefas conjuntas (brincar, decorar nomes, prestar atenção a sons, entender uma piada, descrever uma gravura etc.). Nessas situações, a atividade interpessoal é tão integrada que os parceiros, particularmente a criança pequena, têm dificuldade de perceber sua ação separada da do parceiro. Com a experiência, há progressiva individuação à medida que os parceiros apreendem a totalidade da situação, diferenciando seus papéis conforme imitam o outro ou o confrontam, apropriando-se do polo que lhe faltava na tarefa, ou seja, das instruções, questionamentos e apontamentos que o parceiro lhe oferecia, podendo assim fazer indicações a si mesmo.

Uma fala egocêntrica, ou para si mesmo, marcaria o estágio de transição de uma fala social dirigida a outros sujeitos para uma fala interna, dirigida a si mesmo: de mediadora do comportamento social dos parceiros para mediadora do comportamento individual de cada um deles.

O desenvolvimento humano é, nessa concepção, uma tarefa conjunta e recíproca. Tentativas do bebê de realizar um movimento de agarrar um objeto são interpretadas por um membro adulto de seu entorno social como um gesto de indicação do objeto, sendo provável que o adulto tome o objeto e o entregue ao bebê. Considerado um signo pelo parceiro, o movimento do bebê gradativamente se aperfeiçoa e se torna um signo para a própria criança, que passa a fazer gesto de indicar uma ação ao parceiro esperando receber o objeto como resposta e, depois, a indicar a si mesmo a forma de executar a ação esperada. Pode-se com isso compreender a ideia vigotskiana de que "atos interindividuais criados na situação cognoscitiva convertem-se assim em ações intraindividuais da criança".

De início gesto e palavra expressam uma relação com um objeto ou uma situação, nexo esse construído pelo adulto no processo de comunicação com a criança, que usa a palavra para agir sobre ela. Depois processos verbais adquiridos e dominados pela criança de início como atos sociais tendentes à satisfação de determinadas necessidades transformam-se em instrumentos do pensamento e de toda a regulação do seu comportamento. A fala começa a preceder o comportamento, indicando sua função planejadora: a criança passa a empregá-la para fazer indicações a si mesma. Mais tarde a fala é interiorizada fundindo-se ao pensamento, tornando-se veículo de autodirecionamento , assumindo um caráter de diálogo interno por meio do qual o sujeito "fala com seus botões".

A linguagem permite que o mundo seja refratado na consciência através dos significados culturais selecionados pelos sujeitos e por eles apropriados com um sentido próprio embora impregnado de valores e motivos socioculturais e guiado igualmente por elementos afetivos. No sistema funcional de participação com parceiros mais experientes, a criança pode analisar a experiência conjunta, diferenciar os papéis envolvidos na solução da tarefa e indicar formas de agir para si própria. Esta participação com parceiros em tarefas culturalmente estruturadas com seus complexos significados cria uma "zona de desenvolvimento proximal", ou seja, um processo intersubjetivo em que se formam "sistemas partilhados de consciência" culturalmente elaborados e em contínua transformação. Em tais situações, os modos do adulto de agir e lidar com o conhecimento e de envolver a criança por meio de instruções, apontamentos e representações interagem com a gestualidade, a emoção e o raciocínio das crianças, o que promove seu desenvolvimento. Para explicar isso Vigotski retoma a questão da imitação.

A CULTURA CRIA A BRINCADEIRA QUE CRIA A CULTURA

Preocupado em estudar o psiquismo não como um dado primordialmente orgânico, mas como uma construção cultural, investigando como representações coletivas e modos de significar o mundo e a si mesmo são apropriados pelas crianças por meio de diferentes práticas sociais, Vigotski lançou-se a discutir a brincadeira infantil, em especial o faz de conta, ou "jogos de papéis". Para ele, a brincadeira infantil constitui a principal atividade promotora do desenvolvimento da criança no período pré-escolar. Pelas características de sua realização, ela promove uma série de aprendizagens e revoluciona o desenvolvimento da criança em pontos fundamentais. Ela seria uma oportunidade para recriação da cultura em um contexto interacional cheio de conflitos, de posições diversas e de inerentes negociações. Brincar dá à criança oportunidade para refletir sobre as regras sociais e reconhecer não apenas o seu papel, como também o de seus parceiros, à medida que os observa durante a ação e assume o papel do parceiro (em geral indivíduos mais experientes) e atribui a outro seu próprio papel, a uma boneca por exemplo. Com isso, a criança vai além de seu comportamento diário, experimentando um dado modelo, inicialmente diferente de si, mas que é parte de sua rede de experiências sociais, e transformando-o em um mediador interno para novas ações.

Brincar possibilita à criança superar importantes restrições em suas possibilidades de agir. Na brincadeira, os objetos perdem sua força determinadora sobre o comportamento da criança, que começa a poder agir independentemente daquilo que ela percebe. Embora na vida real a ação domine o significado, na brincadeira é o significado que domina a ação. Com isso, a criança pequena, que está limitada em suas ações pela restrição situacional provocada pelo forte imbricamento dos aspectos motivacionais e motores de sua atividade, pode ser mediada por imagens por ela elaboradas a partir de suas experiências anteriores em uma cultura concreta e pode transitar pela fantasia culturalmente impregnada. Com isso a ação mediada por regras apropriadas pela criança no cotidiano começa a ser determinada por ideias, embora ainda com suporte de objetos, indumentárias, ou outros mediadores externos.

Dessa forma, a brincadeira atua como um mediador na formação da representação, desde que seu funcionamento possibilite a distinção entre um significado e um objeto real, à medida que os gestos da criança lhe atribuam a função de substituto adequado e criem uma definição funcional de conceitos e de objetos, utilizando alguns objetos como brinquedos e executando com eles um gesto representativo. Ao participar na criação de uma situação de faz de conta na qual ela encena situações extraídas da realidade utilizando regras de comportamento socialmente constituídas e transmitidas, a criança envolve-se em um mundo ilusório e imaginário onde desejos não realizáveis podem ser realizados, onde papéis de diferentes dramas podem ser desempenhados pela criança em confronto com os papéis que as ações de seus parceiros apresentam na situação concreta. A brincadeira, dessa maneira, permite que a criança desenvolva as motivações de segunda ordem necessárias tanto para a escola quanto para o trabalho.

Ao brincar a criança desenvolve formas de motivação propriamente humanas. Como toda brincadeira é governada por regras (as da imaginação), brincar constrange as crianças ao mesmo tempo que as libera, ou seja, as ajuda a dominar impulsos imediatos e a se controlar pelo bem da brincadeira, criando um desejo de segunda ordem, um afeto que incorpora outro afeto. Assim, as crianças criam necessidades e desejos relacionando-os a um "Eu" fictício e se apropriam de normas sociais. Isso possibilita a criação de uma situação imaginária que tem de se articular com as limitações colocadas sobre as possíveis ações que são trazidas à brincadeira pelas crianças. Dessa maneira a brincadeira é simultaneamente mais real e menos parecida com a vida real. Ela promove uma "ilusória liberdade".

Vigotski defende que brincar, mesmo que sozinho, constitui uma "zona de desenvolvimento proximal" para a criança, um espaço de relações interpessoais no qual um parceiro mais experiente, ou seja, aquele que tem seu comportamento mais mediado pelo conjunto de signos presente em uma cultura, não precisa estar concretamente presente, mas pode ser trazido à situação pelas ações das crianças e, gradativamente, pelas representações dele que elas começam a construir.

FAZER IGUAL E FAZER DIFERENTE: O CAMINHO DA IMAGINAÇÃO

Um outro aspecto que a obra de Vigotski traz para a discussão diz respeito à interação e ao desenvolvimento da imaginação durante a brincadeira. Assim como ressaltaram Mead e Wallon, para Vigotski os gestos também são recortes de situações interativas e veículos de significações, portanto, de comunicação. Nesse sentido têm um valor funcionalmente privilegiado para evocar uma ação, contribuindo para a construção de imagens mentais. A imitação do gesto do outro possibilita a reprodução de atos alheios e a identificação pelo sujeito que imita das indicações neles contidas.

Depois, graças a um lento processo de dissociação, alteração e associação de impressões sensoriais, com gradativa infiltração de elementos do pensamento conceitual, imagens perceptuais reelaboradas pela cognição da criança, e por ela afetivamente significadas, servem de suporte para a imaginação. Por sua vez, o maior domínio da fala amplia o desenvolvimento da imaginação da criança e medeia a formação de representações, o que lhe possibilita representar objetos que ela nunca viu antes, ou dar um novo uso a um objeto já conhecido, inserindo-o em um novo contexto criado pela fantasia.

Nesse processo a imitação tem um valor fundamental. Entendida em um amplo sentido, a imitação representa a principal forma pela qual ocorre a influência da aprendizagem sobre o desenvolvimento. A aprendizagem é possível onde a imitação também é possível. O processo de aprender se dá na medida em que capacidades ainda não amadurecidas da criança recebem o impulso de ações de outros parceiros. Conforme a criança imita a ação destes parceiros na realização de uma atividade, ela pode passar do que sabe fazer para aquilo que não sabe.

Para aprofundar estes pontos, apresentaremos uma breve análise de episódios de interação baseada na observação do cotidiano de crianças de 2 e 3 anos em uma creche municipal de São Paulo para compreender o processo de formação sócio-histórica da mente humana, segundo a visão vigotskiana.

Imitar, para crianças nessa faixa de idade, pode ser apenas a reprodução de um gesto e de um ritmo, ou pode incluir alternância entre apresentação e repetição de um comportamento. No exemplo a seguir, isso fica bem nítido: "Na creche, quatro crianças de 2 anos, duas meninas e dois meninos, examinam em separado caixas de madeira cheias de placas de diferentes tamanhos, formas e espessuras. Uma das meninas bate com uma placa de madeira nos vários lados da caixa que examina. Alguns segundos depois, um dos meninos começa a bater no fundo de sua caixa com uma placa e o faz por algum tempo, observado pelas demais crianças, que largam os objetos que seguram e pegam placas de madeira e batem com elas em uma das caixas, o que cria um jogo de sons que muito as divertem".

Em outras situações a imitação imediata, apoiada na percepção dos parceiros, evolui de uma sincronização dos ritmos posturais e das verbalizações dos parceiros até a criação de brincadeiras cooperativas mais elaboradas, com reprodução dos aspectos básicos dos comportamentos dos parceiros. Conforme reproduzem alguns gestos básicos, expressões faciais, posturas corporais e verbalizações que são encontradas em experiências cotidianas, com uso simbólico de alguns objetos, as crianças criam e se submetem à rede de significados circulando na situação e expressos em palavras. Vejamos outro episódio: "Uma menina de 2 anos examina atenta uma colher na sala de sua turma na creche, olha para a pesquisadora que filma a cena , diz: 'Tomá remedi!', anda até ela e pergunta: 'Remédio, tia?' indo depois brincar com outros objetos. Um minuto depois, novamente segurando a colher, a menina aproxima-se de outra menina e lhe diz: 'Pega remédio!'. Depois ela se volta para a pesquisadora e pergunta: 'Remédio, tia?'."

A reprodução de situações faz com que a criança cada vez mais diferencie os elementos originais que são trazidos para a situação presente. Posteriormente, uma melhor definição de temas pode ser então notada, e o desenvolvimento de novas habilidades ajuda as crianças a tornar o enredo mais completo, com reprodução de mais aspectos dos papéis assumidos, em particular, pelas educadoras da creche: "Uma menina, sentada no chão da sala da creche, bate ritmadamente uma colher dentro de um copo, como que batendo leite em pó. Ela ergue-se e estende a colher para a pesquisadora, dizendo: 'pápa', tia, pápa!' Depois ela aproxima a colher de sua boca, finge comer algo e exclama: 'Bom!' Olhando para a colher e o copo, diz, sorrindo: 'Pápa, tia, pápa! Qué? pápa! Qué?' Ela faz gesto de mexer a colher no copo, põe a colher em sua boca e novamente no copo. Depois ela olha para um menino que brinca a seu lado com um objeto de plástico, e lhe diz: 'Pápa, João. Vamos, pápa!'".

Através do uso de um objeto conhecido, no caso a colher, a criança recupera uma situação já vivenciada, ou seja, papéis anteriormente construídos, no caso, facetas do papel de adulto que cuida de crianças (mãe ou educadora), papel esse que é assumido por ela ao mesmo tempo que, por sua ação, atribui à outra criança, à educadora, à boneca, o papel complementar daquele que é cuidado. Gradativamente, contudo, a criança passa a usar os objetos de um modo simbólico, mais mediado por imagens, como um substituto para outros objetos diferenciados de sua forma empírica.

Nesse processo a linguagem torna-se um dos elementos reguladores fundamentais da interação das crianças na medida em que constitui um substrato material necessário à representação e à troca de mensagens. A entonação, o ritmo, o conteúdo linguístico configuram elementos cada vez mais básicos ao desempenho de papéis. O domínio maior da fala leva as crianças a sugerirem atividades, conferirem uma hipótese sobre a brincadeira, orientarem a ação do outro: "é meu!", "eu sou a mãe, né?". Assim, a criança pode agir não só como ator, mas também como diretor de cena e como audiência.

À medida que a linguagem verbal mais efetivamente faz a mediação do processo de coordenação de papéis, as crianças mais velhas apresentam um enredo mais bem planejado, no qual algumas representações estão sendo mais claramente negociadas: "Em outra turma da creche, um menino de 3 anos finge derramar o conteúdo de uma garrafa plástica vazia sobre sua cabeça, dizendo a outro garoto de sua idade: 'Põe na cabeça, assim!'".

Cada vez mais se observa a criança ser capaz de evocar eventos. Ela não faz isso em separado da ação de outra criança, mas coordenando suas ações a partir da atenção conjunta, da consideração da parceira como um estímulo privilegiado para agir. Outros processos de coordenação de papéis vão sendo observados, tais como o uso de novos elementos inguísticos - os condicionais e as justificativas - na interação com parceiros, como forma de submetê-los a seu próprio enredo no faz de conta, o que aponta para a apropriação pelas crianças de formas de exercer o poder sobre os outros.

Ao jogar com papéis na atmosfera de faz de conta criada na brincadeira simbólica e em outras situações, as crianças necessitam seguir, de uma maneira não necessariamente consciente, um modo de agir que requer complexas habilidades, lidando com posturas, gestos e representações emergentes. Com isto, aspectos pessoais – embora socialmente cunhados – são elaborados pelo processo dialético de imitação/oposição em contextos cujas ações são carregadas de significados históricos. Estes são capturados pelas crianças, à medida que elas praticam e dominam novas formas complexas de ação – modos historicamente construídos de pensar, sentir, memorizar, mover-se, gesticular etc.

O exame das reflexões de Vigotski e de dados de pesquisa iluminados por suas considerações teóricas oferecem novas perspectivas para o debate sempre presente entre professores e pais sobre o valor da brincadeira para a aprendizagem e o desenvolvimento da criança. Seu valor como mediador da imaginação, da fantasia e da construção do sentido de si pela criança colocam a brincadeira infantil como excelente aliada dos professores no alcance das metas educacionais que eles estabelecem.

O legado - II

DOCÊNCIA: PESQUISA E INTERVENÇÃO

por Claudia Davis e Wanda Maria Junqueira Aguiar

Os professores armazenam, formam e transformam seu repertório de ação, por meio da elaboração de outros estilos, que vão surgindo pela observação e reflexão acerca da atividade docente

Tem sido recorrente, no campo educacional, o reconhecimento da importância de qualificar melhor o professor para que ele possa oferecer um ensino capaz de atingir – e beneficiar - todos os seus alunos. Aprimorar as habilidades pedagógicas e os conhecimentos acadêmicos dos docentes está, portanto, na ordem do dia, fazendo com que a formação inicial e a continuada passem a constituir aspecto fundamental em praticamente todas as propostas que buscam melhorar a qualidade da educação. Marc Durand, Jacques Saury e Philippe Veyrunes, refletindo sobre as dificuldades de formação de professores na França, sugerem que elas se devem ao fato de haver uma oposição entre o que chamam de "epistemologia dos saberes" (ligada ao saber e ao rigor científico) e "epistemologia da ação" (voltada para a pertinência profissional), que se reflete na organização e administração dos institutos universitários de formação de professores. Para os autores, essas epistemologias estabelecem uma falsa oposição entre saber e ação, que poderia ser sanada mediante uma análise do trabalho e de seu desenvolvimento, ao articular os polos envolvidos. A pesquisa que detalharemos aqui tenta fazer isso, dando visibilidade à atividade realizada pelos professores, acreditando que se ela for compreendida será possível transformá-la no sentido esperado. Seguindo os pressupostos teóricos da teoria sócio-histórica em psicologia e da ergonomia francesa atual, analisaremos aqui a atividade docente de uma professora das séries iniciais.

A escola pesquisada é vinculada à rede pública de ensino da cidade de São Paulo e conta com um projeto pedagógico sólido, elaborado com a participação da maioria dos docentes e submetido à aprovação ao Conselho de Escola. A sala de aula observada possui 21 alunos, entre 8 e 12 anos de idade. Ana, a professora indicada pela diretora, concordou em participar da pesquisa. Com 30 anos, casada e sem filhos, a professora é pedagoga formada na rede de ensino superior privada da Grande São Paulo. Há quase doze anos atuava no magistério, inicialmente em escolas da rede particular e, mais tarde, como professora concursada, na rede pública. Como professora polivalente, preferia ensinar a ler e escrever.

LINGUAGEM E HISTÓRIA

Nesse estudo, a linguagem é tida como aspecto central, posto ser por seu intermédio que se pode analisar o trabalho docente e o modo de pensar, sentir e agir dos professores. Além disso, a linguagem nos faz seres sociais, pois somos, por meio dela, constantemente afetados pelo Outro, ao convertê-lo ativamente em nós mesmos. Essa atividade de reconversão do Outro e de afetação pelo Outro permite que ele se torne um recurso central para nosso próprio desenvolvimento, questão bem estudada por Vigotski em Pensamento e Linguagem, no que concerne ao psiquismo. Trata-se, portanto, de verificar se o desenvolvimento avança por meio do diálogo que se passa entre três atores (um professor-sujeito, um seu colega de profissão e um pesquisador). O esperado é que se possa criar, artificialmente, por meio da interação entre eles, um espaço de interlocução destinado a produzir - e a mobilizar - recursos dialógicos novos, capazes de transformar situações comuns e corriqueiras de trabalho. Procura-se, assim, organizar a conversa dos professores acerca dos obstáculos que encontram em seu ofício e, sobretudo, organizar o diálogo entre eles sobre tais obstáculos, incluindo, na análise, aquilo que poderia ter sido feito ou dito, mas não o foi, bem como aquilo que foi feito ou dito para não se fazer o que deveria ser dito ou feito.

Esse é, de fato, o trabalho do pesquisador: provocar uma apreciação daquilo que, na situação em que a atividade ocorre, não pode ser objetivado, para assegurar o desenvolvimento do real do diálogo (suas inúmeras possibilidades), no seio do diálogo realizado em torno de uma atividade de trabalho. Parte-se do suposto de que, ao se converter em diálogo realizado, o real do diálogo se desenvolve, permite fazer ou dizer aquilo que não podia, até o momento, ser feito ou dito. Ao tomar ciência de novas possibilidades, o sujeito estará apto a reassumir o comando das relações que estabelece com seu processo real de vida, recuperando o controle sobre ele. Esse movimento requer que se distinga entre tarefa e atividade. A tarefa refere-se ao prescrito, ao que deve ser realizado. Já a atividade é apenas o que foi efetivamente cumprido, a realização de um dentre os vários cursos de ação. Com base em Vigotski, Yves Clot afirma que, nessa situação, o desenvolvimento da atividade que prevaleceu sobre as demais é regido pelos conflitos que se estabelecem entre a atividade realizada e as outras formas de realizar a mesma tarefa.

Assim, em La Fonction Psychologique du Travail, Clot afirma que o real da atividade envolve tanto o que foi realmente feito quanto tudo aquilo que poderia ter sido feito, que se procurou fazer sem o conseguir, que se queria ter podido fazer, que ainda se pretende fazer em outra ocasião. Envolve, também, o que se faz para não se fazer o que deve ser feito. Considerando que as atividades não realizadas (ou seja, as que fracassaram) têm, inegavelmente, um impacto na atividade realizada, o autor propõe que elas sejam também incluídas na análise da atividade. Em outro texto, "Clinique de l'Activité et Pouvoir d'Agir", Clot ressalta, no entanto, que não se trata de buscar um hiato entre a prescrição social e a atividade real. Ao contrário, ele aponta que há, entre elas, simultaneamente: 1. uma reorganização da tarefa por parte dos coletivos profissionais; e 2. uma recriação da organização do trabalho, pelo trabalho de organização do coletivo. A esse duplo movimento o autor dá o nome de "gênero social do ofício" ou "gênero profissional". Dessa maneira, o gênero é um meio de saber como se organizar em determinadas situações, evitando, tanto quanto possível, o erro em face do previsto.

Recurso para enfrentar as exigências da ação, o gênero é, também, alvo de ajustes e retoques por parte daqueles que o empregam. A esse processo de ajustes dá-se o nome de estilo. De fato, ao retocar uma regra, um gesto ou uma palavra do gênero, o sujeito cria uma variante – o estilo – que será avaliada e, eventualmente, validada pelo coletivo, assegurando a vida e o desenvolvimento do próprio gênero. Pode-se dizer, portanto, que o estilo, ao libertar o homem do gênero, abre o caminho para seu desenvolvimento, aumentando o poder de ação sobre o meio e sobre si mesmo: a autorregulação da conduta. A análise da atividade docente que se quer empreender deve, assim, permitir que, primeiro, o sujeito desenvolva seu poder pessoal de agir, de modo a enfrentar melhor a situação de trabalho; e, segundo, o coletivo expanda seu campo de ação, por meio das ações inovadoras do sujeito.

Roger, Roger e Yvon, em "Interrogation pour une Analyse de l'Activité Enseignante", postulam que a atividade docente – enquanto unidade básica de análise – deve ser encarada como aquela que coloca o professor em uma tripla relação, ou seja, a que ele mantém com: 1. os objetos de formação submetidos à aprendizagem dos alunos; 2. o ambiente profissional e social onde não apenas ele, mas outros sujeitos (alunos e demais atores da escola) realizam suas atividades; 3. ele mesmo, ou seja, com tudo aquilo que é alvo de suas preocupações. A atividade é o meio pelo qual o sujeito se constitui, pois ele só se mostra ao outro por meio da atividade e, por sua vez, os outros só são e só se mostram ao sujeito via atividade. Esta última, por sua vez, é sempre social: ainda que realizada individualmente, ela é sempre permeada pela cultura e, portanto, pelo social.

Considerar o trabalho como social implica reconhecer que ele é também significado, ou seja, nunca é apreendido em si, mas sempre por meio de um ponto de vista. Em "Núcleos de Significação como Instrumento para a Apreensão da Constituição dos Sentidos", Aguiar e Ozella defendem que esses pontos de vista são formados por sentidos e significados constituídos pela unidade contraditória do simbólico e do emocional. Desta forma, na perspectiva de melhor compreender o sujeito, os significados constituem o ponto de partida: sabe-se que eles contêm mais do que aparentam e que, por meio de um trabalho de análise e interpretação, pode-se caminhar para zonas mais instáveis, fluidas e profundas, ou seja, para as zonas de sentido. Afirmam os autores, assim, que o sentido é mais amplo que o significado, pois o primeiro constitui a articulação dos eventos psicológicos que o sujeito produz frente a uma realidade.

O sentido deve ser entendido, portanto, como um ato do homem mediado socialmente, não sendo, no entanto, nem diretamente observável (pois suas possibilidades são infinitas) nem necessariamente consciente. Os sentidos encontram-se, assim, mais no campo do sujeito, de sua singularidade. Como os sentidos entram em conflito, eles geram sínteses provisórias, relativamente estáveis e compartilhadas: os significados. O caráter compartilhado dos significados faz com que se situem mais no âmbito do social e é nessa condição que são apreendidos pelos sujeitos, configurando-se em novos sentidos. Tem-se claro, no entanto, que a singularidade e a objetividade são constituídas dialeticamente, tendo a historicidade como um componente essencial.

A PESQUISA: COMO FAZER E PARA QUÊ?

Para estudar o trabalho do professor, selecionam-se previamente alguns episódios da sua atividade, episódios que serão analisados, em seguida, por ele mesmo, comparando suas concepções à sua efetivação ou não.

Isso é feito em três momentos: 1. a auto-observação, em que o sujeito se observa na ação e entabula um diálogo interno com o real da atividade; 2. a autoconfrontação simples, em que o sujeito descreve ao pesquisador os episódios que acabou de ver, passando de "observado" a "observador", uma vez que sua análise decorre das interpretações do momento anterior. A atividade, que antes era essencialmente intrapsicológica, torna-se, ao ser descrita, interpsicológica e, assim, transforma-se em um meio de pensar a própria atividade. Exteriorizadas, as experiências do sujeito se revelam ainda vivas, embora sob outra configuração: não é mais apenas o que foi possível fazer ou alcançar, mas também aquilo que não foi nem feito nem alcançado e, ainda, o que poderia ou deveria ter sido feito e/ou alcançado. Ao observar e comentar a atividade para o Outro, surgem novas formas de organizar o vivido, de apreendê-lo por outras óticas que revelam, também, novas possibilidades e novos limites. Com isso, o pesquisador é levado, pelo sujeito, a compreender a significação que ele atribuiu à própria atividade observada, avançando, portanto, em direção às zonas de sentido; 3. e a autoconfrontação cruzada, em que os episódios são vistos mais uma vez, agora pelo sujeito, por um colega de trabalho, e pelo pesquisador. Nesse momento, o sujeito não se dirige mais apenas à atividade realizada: ele se volta também para as observações que o colega faz sobre ela. A análise é feita, agora, pelo colega de trabalho. Seus comentários se dirigem a diferentes interlocutores (o sujeito – aquele que realizou a atividade – e o pesquisador) e variam, dependendo de a quem se destinam, permitindo aos outros pensarem, sentirem e agirem de acordo com sua perspectiva.

A finalidade da pesquisa é investigar a atividade docente. Para isso, fazem-se perguntas interligadas, para que a resposta alcançada em uma delas possa fornecer subsídios para a compreensão da outra. São elas: "Quais são os sentidos e significados que o professor atribui à atividade docente?" e "Como é a dinâmica do desenvolvimento profissional do sujeito, pela observação e análise da própria atividade docente?".

COLETA DE DADOS

Para se obterem os dados da pesquisa, foram empregados os seguintes instrumentos: 1. história de vida da professora, contendo descrição de trajetória profissional e opinião sobre a própria atuação, sobre o papel da escola e da educação; 2. observação do espaço físico escolar; 3. e filmagem das atividades de Ana em sala de aula. Das filmagens, utilizaram-se episódios que foram vistos, analisados e comentados pela professora, primeiro com uma das pesquisadoras e, depois, com a outra, pois este trabalho contou com duas pesquisadoras. Os critérios para seleção dos episódios foram, primeiro, o de mostrar as diferenças entre a atividade prescrita e a real, segundo o relatado na história de vida; e, segundo, de incidir em uma situação que permitisse várias formas de condução. Aqui somente um episódio será analisado, ligado a uma atividade de língua portuguesa. O último instrumento empregado (3.) serviu para realizar autoconfrontações simples e cruzada: os episódios selecionados foram apresentados para que Ana pudesse primeiro se observar e, depois, descrever suas impressões para a pesquisadora que a filmara e, finalmente, discutir o ocorrido com a outra pesquisadora.

ANÁLISE E INTERPRETAÇÃO DOS RESULTADOS

Os dados oriundos dos diferentes instrumentos foram reunidos, articulados entre si e analisados, primeiro, à luz do contexto educativo da escola; segundo, com base nos sentidos atribuídos à atividade docente; e, por último, levando em conta o referencial teórico empregado. O procedimento de análise do relato da professora consistiu em identificar todos os temas abordados por ela em sua história de vida e agrupá-los por semelhança temática, contradições percebidas e por aspectos complementares. Assim, os assuntos tratados foram reunidos, inicialmente, em 32 pré-indicadores, que sofreram novo processo de agrupamento, dando origem a cinco indicadores, os quais, também aglutinados, resultaram em dois núcleos de significação, conjunto de ideias que exprimem melhor a singularidade da professora Ana, como se verá a seguir:

NÚCLEO 1: FORMAÇÃO TEÓRICA, TÉCNICA E PRÁTICA

A escolha profissional de Ana decorreu de uma idealização originária na família, que vinculava docência à nobreza, com uma implicação pessoal: "minha mãe sempre dizia que a chave para mudar o mundo estava nas mãos dos professores". Ana diz sentir prazer em ensinar. Conta que fez uma boa faculdade e estágios interessantes. Diz ter aproveitado bem as oportunidades. Concluiu, antes de se casar, especialização em psicopedagogia. Se a escolha profissional foi pouco fundamentada, a atividade docente lhe trouxe novos motivos geradores de sentidos, o que a fez se concentrar na profissão e buscar construir um cabedal teórico sólido. No entanto, Ana acha que a principal fonte de conhecimentos sobre a atividade docente foi o exercício prático, "é trabalhando que você se torna uma boa professora".

Ressalta que nem sempre esteve preparada para enfrentar as demandas da educação e foi fazer cursos, investir em si mesma. Formou uma rede de relacionamentos ampla, que lhe permitiu ter boas propostas de trabalho. Lecionou em várias escolas e foi perdendo o pavor de fracassar e pouco a pouco se sentiu mais segura. Com o passar do tempo, na prática, construiu uma identidade profissional. Julgava-se, no momento da pesquisa, competente, capaz de dominar a sala de aula e de ensinar bem os alunos. Optou pela rede pública de ensino pela estabilidade de emprego, ainda que isso dificultasse investir em aprimoramento profissional. Essa é a contradição: reconhecer a importância de se capacitar continuamente e, ao mesmo tempo, furtar-se a isso. Esse é o caso da pós-graduação, meta que sempre almejou, mas adiou, com receio de não passar na seleção e arruinar sua reputação. Contradições como essa – tônica desse núcleo – apesar de construírem um campo propício para a geração de uma crise, parecem promover, quando muito, uma desestabilização nos sentidos, cuja função é a de adiar a crise e justificar os motivos pelos quais o sujeito se apoia para não se transformar na direção esperada.

NÚCLEO 2: VIVÊNCIA PROFISSIONAL E POSSIBILIDADES ABERTAS PELA ESCOLA

No relato de história de vida, Ana reconhece sua atividade docente como algo que precisa de aperfeiçoamento, notadamente para lidar com as questões de alfabetização. Antes, só trabalhava com as séries mais avançadas do ensino fundamental, porque gosta mais de crianças mais velhas. Há dois anos, assumiu a regência de um 3º ano, em razão do precário domínio da língua que os alunos apresentam ao final do 2º ano. Considera que é, nessa escola, muito incentivada a enfrentar desafios. Além desse apoio, acha que assumiu novos riscos por dois outros fatores: confiar na renomada competência da equipe gestora; ter se tornado professora efetiva da rede, algo que eliminou o medo de ser despedida.

Ana diz gostar de se sentir parte dessa escola e vê, na atuação conjunta, um sentido positivo. Isso lhe dá não só um sentido de pertença ao grupo, como também a leva a qualificar positivamente a atividade docente. Por outro lado, Ana demonstra não ser imune aos estereótipos veiculados na área da Educação: credita o fracasso escolar à falta de interesse dos pais pela escolarização dos filhos, isentando a escola e professores de sua parcela de responsabilidade na questão. Essa postura parece atuar como forma de se tranquilizar, de não sofrer profissionalmente.

A AULA DE ANA

Agora vamos dar uma espiada em uma aula de Ana, que depois será analisada por ela e confrontada com os pressupostos vistos acima.

Ela inicia a aula dando boas-vindas aos alunos, faz a chamada, depois informa que vai trabalhar mais de perto com quatro alunos e que, nesse meio-tempo, os demais devem formar pares, ou trios. Propôs às crianças identificarem erros na lição de casa, que, depois, seriam corrigidos na lousa. Ana fez rearranjos na formação dos grupos e permitiu que dois alunos ficassem sozinhos. Em seguida, voltou-se para os três meninos e uma menina que precisavam aprimorar a expressão oral e propôs a eles que a orientassem como embrulhar um livro para presente. Encerrou a atividade antes do previsto, porque a aluna disse que a atividade estava muito aborrecida.

A professora assistiu ao vídeo atenta e silenciosamente. Explicou que havia tentado demonstrar que é preciso falar de forma clara e objetiva para se comunicar bem e reconhecia que essa não era uma tarefa fácil. Explicou que usara recursos como dar modelo, fazer perguntas e discutir respostas. Percebeu que as crianças, especialmente uma, se cansaram da atividade e, por isso, decidiu encerrá-la. Eis um trecho deste episódio:

[...] procurei expandir o vocabulário dessas crianças, [...] acho que essas são as crianças que têm mais dificuldade de se expressar [...]. Estava até indo bem, com todos trabalhando [...], até a Clarinha dizer que [...] estava chato [...]. Daí, [...] me perdi [...]. Tentei me explicar, mas não deu muito certo. [...] Estimei mal o tempo: demorou mesmo muito para eles darem ordens diretas e, também, eu acho que não sabia como é difícil falar tudo direitinho para o outro entender. [...]. Na prática, tudo é mais difícil... [...] Acredito que eu posso melhorar, [...] mas fiz o que precisava [...]: dei ajuda [...], mostrei a importância de falar com clareza, fiz boas perguntas e respondi às deles da melhor forma possível. Gostei dessa parte [...] Preciso avaliar melhor a duração das atividades. [...]. Só isso. E não gostei de me ver dando aula.

Ao acompanhar o relato de Ana, percebe-se que ela não avança em suas reflexões, o que ocorre são alterações em sua forma de pensar e sentir. Primeiro, Ana confronta-se consigo mesma e mobiliza novas alternativas para a realidade vivida. Novos sentimentos surgem e pressionam a mudança no sentido atribuído à atividade: "tentei me explicar, mas não deu muito certo". Presencia-se aí um momento de desestabilização de sentidos e a mobilização de novas formas de significar a realidade. Ana começa a duvidar de sua eficácia e começa rever aspectos da atividade e, inclusive, suas metas. Neste momento, tem-se o potencial da estratégia de autoconfrontação: observar a atividade é revivê-la e, de algum modo, decifrá-la. Mas será que o temor de fracassar leva Ana à paralisia ou à busca de alternativas? Ana busca um lugar mais confortável, explicações para as dificuldades. Afirma, por exemplo, que "na prática, as coisas são mesmo muito mais difíceis", validando a antiga e, ainda, não superada discussão sobre o papel da teoria na prática, tendendo a achar que "na prática a teoria é outra".

Concepções assim dicotômicas só podem ser superadas se forem elaboradas dialeticamente, tanto na dimensão objetiva como na subjetiva. Ana avança, ao concluir ser preciso "avaliar melhor a duração das atividades". Mas não percebe que não se trata apenas de alterar sua prática, mas modificar a própria concepção acerca da atividade. Trata-se de entender a prática pela mediação da teoria, ou seja, de práxis. Na sessão de autoconfrontação cruzada, quando a segunda pesquisadora comenta essa mesma atividade, a situação muda. Vejamos a síntese da conversa entre elas

Pesquisadora (P): Eu gostei muito de poder ver o seu trabalho [...]. Gostei da ideia de trabalhar a expressão oral, mas [...] não foi fácil...
Ana (A): E eu que queria me sair bem... [...] tentei, mas não me saí tão bem como esperava.
P: Por que você não escolheu trabalhar com algum conteúdo curricular? [...], como plantar uma muda de flor em um vaso. Você poderia cumprir seu objetivo e ensinar também questões relacionadas ao solo e ao plantio.
A: Nem me ocorreu [...] isso! Mas essa ideia é legal, porque eu poderia trabalhar conceitos, que é o que eu gosto. Já tinha achado bobagem, quando assisti ao vídeo pela primeira vez.
P: Trabalhar com conteúdos é uma forma de fazer melhor o que você fez! [...] A minha sugestão é [...]
A (interrompendo): Que eu faça isso com conceitos, articulando a linguagem de todo o dia com os conhecimentos escolares.
P: Isso! Eu não conseguiria me expressar melhor!
A: Acho que preciso estudar mais. Voltar a ler a Ana Smolka... Eu gosto das propostas dela [...]
P: É verdade... Mas, voltando para o vídeo, você trabalha muito com o Daniel [...] e ele é um menino que usa bem a linguagem. Por que ele estava nesse grupo?
A: Você achou isso? Eu fico surpresa, porque ele tem 11 anos, vive com a avó e é uma criança muito calada. Hoje, até que ele falou

mais, mas eu achei que ele fez isso porque quis me ajudar.
P: Posso estar errada, mas veja como as ordens dele são precisas [voltam o vídeo].
Ana: Aqui, ele se mostrou bem competente. Eu estava tão atrapalhada nessa hora, que nem o elogiei... Acho que o fato dele participar e topar continuar participando foi importante para eu não ficar arrasada com os comentários da Clarinha.
P: Eu achei bom ela ter dito o que estava pensando! Ela nos deixou ver a atividade pelo ponto de vista de uma criança. Isso enriqueceu a nossa experiência.
A: Claro, a vantagem é essa. Mas logo quando vocês estavam filmando? [...]
P: Porque a classe é arrumada desse jeito, com as carteiras enfileiradas? Isso não atrapalha a interação [...]
A Isso não tem saída. Se não tivesse aula à noite, ou se todos os professores usassem círculos [...]
P: Mas isso não pode ser discutido na escola?
A: Pode, mas mudança é sempre um problema.
P: E o número das carteiras, não dá para retirar algumas?
A: Nem pensar. A turma que vem à noite é numerosa e não dá para ficar pondo e tirando carteiras [...]
P: Está certo, Ana. Essa á a realidade, mas podemos sonhar, né?

Esse recorte mostra o movimento ao longo das autoconfrontações: a posição da professora ganha força na e pela observação e se modifica na dialogia com os dois parceiros. Vê-se, assim, que Ana recupera, aos poucos, o "poder de agir". Na confrontação cruzada, seu ponto de vista se desloca, pois ela encontra novas facetas em sua atividade. Se antes estava preocupada em ser (ou parecer ser) uma boa professora, depois da interlocução com a pesquisadora se apropriou dos objetivos desta: entender o que estava visível na atividade, algo que exige lógica distinta, que acaba sendo partilhada. Uma simetria é estabelecida e a conversa flui. Expectativas são expressas e relativizadas. Ao final da sessão, Ana relatou que, já na autoconfrontação simples, tinha se dado conta de que a atividade analisada era complexa, o que veio a se confirmar na autoconfrontação cruzada. A partir daí, a atividade em si dá lugar e voz ao sujeito da atividade.

O movimento para recuperar o "poder de agir" poderia ter seguido inúmeros cursos. As sessões de autoconfrontação não se propõem a prescrever procedimentos. O papel da observação e da reflexão sobre a atividade é o de ampliar horizontes para os docentes e pesquisadores. Isso ocorreu, pois as novas preocupações de Ana se distanciaram muito de "passar uma boa impressão": ela percebeu os efeitos involuntários da atividade realizada sobre os alunos: cansaço, aborrecimento, tédio, incompreensão do que se fazia. Esses imprevistos passaram a constar do universo dos possíveis, porque a autoconfrontação cruzada permitiu deslocar o foco de análise da interação professora-alunos para a própria professora que, com isso, toma consciência de novas possibilidades de ação e de novas necessidades. Entre elas, estudar mais. A teoria sobre o processo de alfabetização é também fonte de desenvolvimento, porque os vínculos entre ela e a atividade prática foram estabelecidos na e pela interação de Ana com as pesquisadoras. Esse é um conhecimento que não é "teórico", pois constitui um problema da prática e não é, tampouco, um conhecimento "prático", porque decorreu de reflexão.

DA PRESCRIÇÃO À TRANSFORMAÇÃO

A perspectiva sócio-histórica dedica-se ao estudo, segundo Jean-Luc Roger, do "desenvolvimento dos invariantes da atividade", e isso significa preocupar-se "menos com a apreensão da estrutura da atividade como tal e mais com a estrutura de seu desenvolvimento". Assim, interessa aqui os mecanismos que promovem esse desenvolvimento, fiel ao preceito vigotskiano, segundo o qual "é apenas por meio do movimento que um corpo mostra o que é", o caso analisado, a auto-observação e o diálogo com as pesquisadoras foram centrais para estabelecer uma zona de desenvolvimento próximo que impulsionou o desenvolvimento pessoal e enriqueceu a atividade docente. As mudanças da professora ganham nitidez: se na autoconfrontação simples ela se julgou adequada, na autoconfrontação cruzada ela percebeu que a atividade fora demasiadamente complexa. O temor de fracassar gradualmente convive com sentimentos de entusiasmo, ambição, com possibilidades de renovação. As diversas apreensões manifestadas em diferentes momentos se interpenetram, criando conflitos de sentidos e significados, chegando ao próprio processo de alfabetização. Isso se dá pela apropriação subjetiva, intrapsicológica, do que estava ocorrendo no plano interpsicológico. Novos objetivos e configurações para a atividade realizada poderão ser então formulados.

É importante mencionar que o "gênero" (as inúmeras prescrições acerca de como atuar profissionalmente) constitui a principal mediação na escolha da atividade e norteia sua condução. As capacitações para língua portuguesa têm salientado a necessidade de se trabalhar a expressão oral, sobretudo nas séries iniciais. No entanto, o gênero não é suficiente para assegurar que a atividade selecionada pelos docentes seja bem-sucedida, pois é preciso constituir um estilo pessoal, na e pela observação do que foi feito, refletido e discutido. O estilo pessoal pode, eventualmente, modificar o gênero e, também, ser nele incorporado, tornando-se patrimônio dos professores. A abordagem aqui seguida, se utilizada em capacitações iniciais e/ou continuadas, pode vir a fortalecer o coletivo docente, a quem cabe o papel de armazenar, formar e transformar seu repertório de ação, pela elaboração de outros estilos, que vão surgindo na e pela observação e reflexão acerca da atividade docente.

O legado - III

A PERSPECTIVA VIGOTSKIANA E AS TECNOLOGIAS

por Maria Teresa de Assunção Freitas

O computador e a internet não garantem a inovação no processo de aprendizagem escolar. Tudo depende da mediação do professor, que torna eficazes as duas outras mediações: a técnica e a simbólica

Hoje, diante do avanço das tecnologias digitais, uma pergunta surge e dela não podemos escapar: É possível compreender o computador e a internet como instrumentos culturais de aprendizagem? Pergunta que pode ser respondida, creio, com base na teoria psicológica de Vigotski, a partir dos sentidos que dá aos termos instrumento, cultura, e aprendizagem. Apesar de esse autor ter vivido em um tempo no qual computador e internet eram ainda impensáveis, sua obra pode se constituir como um olhar teórico criativo sobre essas tecnologias da contemporaneidade. A forma histórica, social, cultural como pensou o homem permite hoje o diálogo, a partir de sua teoria, com esses novos instrumentos culturais.

Vigotski tem uma concepção do conhecimento que avança em relação às teorias psicológicas subjetivistas e objetivistas que se apresentam fragmentadas e a-históricas, considerando o sujeito de forma abstrata e descontextualizada. Dessa forma, acentuam a natureza individual do homem em detrimento das circunstâncias sociais que o envolvem. A insatisfação com esses dois modelos psicológicos fez com que Vigotski buscasse superá-los numa perspectiva que, baseando-se na dialética marxista, pudesse compreender o homem real e concreto. Ao empreender uma crítica da psicologia de seu tempo, ele apresentou não uma terceira via para se compreender a construção do conhecimento. Foi mais longe do que isso. Promoveu um rompimento ao elaborar uma proposta psicológica inovadora: a perspectiva histórico-cultural, para a qual o conhecimento não é adquirido, mas construído na relação com o outro. Uma relação dialética entre sujeito e objeto, isto é, entre o sujeito e o meio histórico. É uma questão de base social, de uma relação não só com objetos, mas principalmente uma relação entre pessoas, entre sujeitos, como lemos em A formação social da mente: "O caminho do objeto até a criança e desta até o objeto passa através de outra pessoa. Essa estrutura humana complexa é o produto de um processo de desenvolvimento profundamente enraizado nas ligações entre história individual e história social". Para ele, a relação do sujeito com o conhecimento não é, portanto, uma relação direta, mas mediada. Essa mediação se processa via um outro, via instrumentos e signos.

O conceito de mediação é central em sua teoria e, para melhor compreendê-lo, é preciso partir do que Vigotski considera como instrumento. A noção de instrumento não pode ser considerada desvinculada da perspectiva do desenvolvimento humano visto como o entrelaçamento do natural, biológico com o cultural. Ao formular o princípio geral de sua teoria afirmando que as funções mentais superiores especificamente humanas têm uma origem social, Vigotski está dizendo que na história do homem há um duplo nascimento: o biológico e o cultural. A inserção na cultura, pela interação com o outro via linguagem, é o que possibilita a criança se tornar, de um simples ser biológico, um ser cultural humano. Nesse sentido, de acordo com Angel Pino em As marcas do humano, a humanização do indivíduo confunde-se com o processo de apropriação dessa cultura. Apropriação que se processa por um exercício ativo da criança na relação com o outro. É nesse contexto teórico que Vigotski inclui a noção de instrumento elaborada a partir da concepção de trabalho em Marx e Engels. O trabalho, para esses autores, aparece como um processo de hominização, pois, através dele, o homem, ao dominar a natureza, assume o controle de sua evolução, que, por sua vez, é histórica. No trabalho o homem utiliza instrumentos para efetuar modificações no objeto e, ao fazê-lo, modifica-se a si mesmo. Assim, o uso de instrumentos é também uma forma de humanização, pela qual o homem transforma o curso de sua existência de natural para cultural.

Vigotski constrói, a partir dessa ideia de instrumento material, uma analogia para chegar ao conceito de instrumento psicológico ou signo, procurando mostrar em que eles se distinguem: "A diferença mais essencial entre signo e instrumento, e a base da divergência real entre as duas linhas, consiste nas diferentes maneiras com que eles orientam o comportamento humano. A função do instrumento é servir como um condutor da influência humana sobre o objeto da atividade; ele é orientado externamente; deve necessariamente levar a mudanças nos objetos. Constitui um meio pelo qual a atividade humana externa é dirigida para o controle e o domínio da natureza. O signo, por outro lado, não modifica em nada o objeto da operação psicológica. Constitui um meio da atividade interna dirigido para o controle do próprio indivíduo; o signo é orientado internamente. Essas atividades são tão diferentes uma da outra, que a natureza dos meios por elas utilizados não pode ser a mesma".

Esses conceitos de instrumento material ou técnico e instrumento psicológico ou simbólico permitem compreender que a mediação para Vigotski pode ser exercida por ferramentas e signos. Assim, é possível dizer que há na sua obra três classes de mediadores: ferramentas materiais, ferramentas psicológicas e outros seres humanos. Diante disso, indago: é possível afirmar que computador e internet são instrumentos culturais? Como essas mediações acima referidas podem ocorrer no uso do computador e da internet?

Pensando o computador e a internet com o olhar da perspectiva histórico-cultural, procuro inicialmente compreender como, com base na ideia de cultura em Vigotski, posso chamá-los de culturais. A questão da cultura está presente no todo da obra de Vigotski, mas não há um texto específico a ela dedicado. Em A construção do pensamento e da linguagem há uma pequena referência explicitando que: "cultura é o produto, ao mesmo tempo, da vida social e da atividade social do homem". Partindo desse enunciado, Pino afirma que a cultura é uma produção humana e que essa produção tem como fontes a vida e a atividade sociais do homem. Diz ainda que esse conceito de cultura engloba uma multiplicidade de coisas diferentes que têm em comum o fato de serem constituídas dos dois componentes que caracterizam as produções humanas: a materialidade e a significação. Isso permite entender a existência de dois subconjuntos de produções humanas ou objetos culturais. O primeiro é resultado da ação física do homem sobre a natureza, conferindo-lhe uma forma material que veicula uma significação. O segundo é formado pelas produções resultantes da atividade mental do homem sobre objetos simbólicos, com o uso de meios simbólicos (diferentes tipos de linguagem) cuja exteriorização (comunicação com os outros) se faz por formas materiais de expressão.

Continuando suas reflexões, Pino afirma que "Instrumentos e símbolos constituem os dois meios de produção da cultura. [...] Esses dois meios de natureza tão diferente têm em comum o fato, já apontado por Vigotski, de serem mediadores da ação humana – sobre a natureza, no caso do instrumento, e sobre as pessoas, no caso do símbolo. [...] ambos são já produto dessa mesma ação humana. Ora, o que define o produto da ação humana é que ela é a concretização da ideia que dirige a ação. [...] Todas as produções humanas, ou seja, aquelas que reúnem as características que lhe conferem o sentido do humano, são produções culturais e se caracterizam por serem constituídas por dois componentes: um material e outro simbólico, um dado pela natureza e outro agregado pelo homem".

Assim, vejo que a criação do computador e, a partir dele, da internet é o resultado de um esforço do homem que, interferindo na realidade em que vive, constrói esses objetos culturais da contemporaneidade, que são, ao mesmo tempo, um instrumento material e um instrumento simbólico.

Partindo da ideia de instrumento técnico e simbólico em Vigotski, além de um instrumento técnico, o computador pode também ser considerado um instrumento simbólico. O computador é um objeto físico, o hardware, mas ele tem também uma dimensão simbólica, pois seu funcionamento depende do software, a parte lógica que coordena suas operações. Como instrumento informático, o computador é um operador simbólico, pois seu próprio funcionamento depende de símbolos. Seus programas são construídos a partir de uma linguagem binária. Para acioná-lo, temos que seguir instruções escritas na tela, movimentando o mouse entre diferentes ícones ou usando o teclado (com letras e números) para redigir instruções e colocá-lo em ação. A navegação pela internet é toda feita com base na leitura e na escrita. É lendo/escrevendo que interagimos com pessoas a distância através de e-mail, ou de programas de bate-papos em canais de chats ou participamos de comunidades como o instagran, twitter, facebook e outros. É lendo/escrevendo que navegamos por sites da internet num trajeto hipertextual em busca de informações ou entretenimento.

Nesse sentido, é possível compreender o papel mediador exercido por esses instrumentos que são, ao mesmo tempo, tecnológicos e simbólicos.

A MEDIAÇÃO HUMANA NO USO DO COMPUTADOR E DA INTERNET

Três ordens de mediações ocorrem no uso do computador e da internet. É a mediação da ferramenta material: o computador enquanto máquina; a mediação semiótica através da linguagem; e a mediação com os outros enquanto interlocutores. Computador e internet introduzem uma forma de interação com as informações, com o conhecimento e com as outras pessoas, totalmente nova, diferente da que acontece em outros meios como a máquina de escrever ou o retroprojetor por exemplo. No uso do computador e da internet a ação do sujeito se faz de forma interativa e enquanto lê/escreve, novos fatores intelectuais são acionados: a memória (na organização de bases de dados, hiperdocumentos, organização de arquivos); a imaginação (pelas simulações); a percepção (a partir das realidades virtuais, telepresença). Outros tipos de comunicação afetam os usuários por vários canais sensoriais, combinando texto, imagem, cor, som, movimento. Trata-se de uma nova modalidade comunicacional absolutamente diferente possibilitada pelo digital: a interatividade. Comunicar não é simplesmente transmitir, mas disponibilizar múltiplas disposições à intervenção do interlocutor, como diz Marco Silva, em Sala de Aula Interativa. Essa comunicação interativa apresenta-se como um desafio para a escola, que está centrada no paradigma da transmissão. Instaura-se, com essa nova modalidade comunicacional, uma nova relação professor-aluno centrada no diálogo, na ação compartilhada, na aprendizagem colaborativa da qual o professor é um mediador. Computador e internet se mostram como adequados a uma concepção social de aprendizagem, que se realiza na interação. Os professores terão que enfrentar o hipertexto com sua não linearidade, sua rede de conexões, sua leitura que se converte em escritura. O novo leitor não é um mero receptor, mas interfere, manipula, modifica, re-inventa. Assim, o professor não pode ser apenas um transmissor, mas deve se tornar um provocador de interrogações, um coordenador de equipes de trabalho.

A internet permite à escola o desenvolvimento de diferentes atividades: 1. busca ágil de informações (pesquisa escolar, visitas a museus e outros lugares, visitas a sites interativos, artes plásticas, música, literatura, cursos virtuais); 2. interações com pessoas (fóruns e listas de discussão, comunidades virtuais, chats, e-mails); 3. ambientes virtuais de aprendizagem – AVA (como o moodle); 4) entretenimento (jogos, simulações). Essas atividades ampliam o espaço da aula presencial e permitem aos alunos um maior acesso às informações que, trabalhadas em conjunto com colegas e professores, podem se transformar em conhecimento. É interessante observar que os contatos entre os participantes em fóruns ou listas de discussão ou em atividades em ambientes virtuais de aprendizagem, como o moodle, realizam-se via leitura e escrita. Nessas práticas discursivas é possível uma interação verbal viva, significativa, que desenvolve a argumentação e leva, consequentemente, a uma maior apropriação dos temas em estudo. Aí se realiza de forma bem concreta a perspectiva da aprendizagem colaborativa proposta por Vigotski.

Refletindo sobre o trabalho por mim desenvolvido em pesquisas com professores em formação inicial ou continuada, percebo a necessidade de se encontrarem estratégias para o desenvolvimento dessa aprendizagem de perspectiva social e colaborativa na escola. A marca de uma educação tradicional ou tecnicista ainda é muito forte nos meios educacionais. A exposição didática, apesar de seus aspectos negativos e criticáveis, ainda hoje é predominante em todos os níveis de ensino, levando o aluno a se defrontar com um conhecimento neutro, já pronto, que recebe passivamente. Derrubam-se sobre os alunos informações, referentes aos conteúdos das diferentes disciplinas, que devem ser memorizadas e depois reproduzidas. Esse processo mecânico exclui a reflexão pessoal sobre o material de estudo, as possibilidades de criação e apropriação pessoal. O que se vê é apenas uma identificação e não uma significação em relação ao que lhes é apresentado pelo professor. O que acontece, portanto, é uma compreensão passiva que, de acordo com Bakhtin em Marxismo e Filosofia da Linguagem, exclui qualquer resposta pessoal. Para ele, a compreensão deve ser ativa e conter, em si mesma, o germe de uma resposta. "A cada palavra da enunciação que estamos em processo de compreender, fazemos corresponder uma série de palavras nossas, formando uma réplica. Quanto mais numerosas e substanciais forem, mais profunda e real é a nossa compreensão."

Se não se der voz ao aluno, se ele não tiver condições e espaço para dizer, impede-se seu processo de compreensão ativa. Aliás, esta supõe, de acordo com Bakhtin, uma interlocução, uma interação verbal na qual há sempre um falante e um ouvinte que se alternam e que se engajam em um processo discursivo dialógico. Nesse processo, que permite a contrapalavra, a argumentação é que se torna possível uma aprendizagem, a qual se organiza em novas formas de pensar a partir dos objetos de estudo. Essa ideia de Bakhtin, de uma situação compartilhada que favorece a aprendizagem, é defendida também por Vigotski, em a Formação Social da Mente, quando afirma que o processo de construção do conhecimento acontece primeiro no plano interpessoal para depois acontecer no plano intrapessoal. Para ele, só há aprendizagem quando a pessoa internaliza o que já foi experienciado externamente, apropria-se, isto é, torna próprio o que foi construído com um outro. Nesse processo, segundo Bakhtin, em A Estética da Criação Verbal, as palavras alheias tornam-se palavras minhas, perdem as aspas. Ao se referir à internalização do conhecimento, Leontiev diz que a apropriação é a reprodução pelo indivíduo das capacidades humanas formadas historicamente, através de sua própria atividade. Por meio do processo de interiorização, a realização da atividade, que era coletiva e externa, converte-se em individual, e os meios de sua organização, em internos. Dessa forma, a atividade, seja externa ou interna, tem uma base material e uma construção socioindividual, como quer Marta Sforni.

Fazendo menção ao processo educativo no qual essa apropriação deve acontecer, Leontiev diz: "As aquisições do desenvolvimento histórico das aptidões humanas não são simplesmente dadas aos homens nos fenômenos objetivos da cultura material e espiritual que os encarnam, mas são aí apenas postas. Para se apropriar destes resultados, para fazer deles as suas aptidões, 'os órgãos da sua individualidade', a criança, o ser humano, deve entrar em relação com os fenômenos do mundo circundante através de outros homens, isto é, num processo de comunicação com eles. Assim, a criança aprende a atividade adequada. Pela sua função este processo é, portanto, um processo de educação".

Para Vigotski, caberia à linguagem, por suas propriedades formais e discursivas, esse papel mediador que põe em relação o homem e sua história, a cognição e seu exterior discursivo. A mediação semiótica proposta por Vigotski mostra que, segundo Edwiges Morato, "[...] não há possibilidades integrais de pensamento ou de conteúdos cognitivos fora da linguagem nem possibilidades integrais de linguagem fora de processos interativos humanos, contingenciados socioculturalmente". Essa posição de Vigotski enfatiza, portanto, a relação do sujeito com o conhecimento como uma interação entre sujeitos viabilizada pela linguagem. Dessa forma, o conhecimento se constrói nas relações interpessoais. Portanto, o sujeito do conhecimento, para Vigotski, não é apenas ativo, mas interativo. A construção individual é o resultado das interações entre indivíduos mediados pela cultura.

Compreendo, pois, que, para Vigotski, as práticas culturais são constitutivas do psiquismo. O ensino formal se constitui como uma prática cultural, portanto tem um papel formador em relação ao sujeito. Daí, concordar com Sforni, que a escola, nas sociedades escolarizadas, ao possibilitar ao homem sua inserção na coletividade como cidadão, pode ser considerada como responsável pela construção de bases para o desenvolvimento psíquico. Mas, segundo Vigotski, não é qualquer ensino que possibilita esse desenvolvimento psíquico. Ele acredita que esse desenvolvimento pode ocorrer por meio da aprendizagem dos próprios conteúdos escolares, mediante a aquisição dos conceitos científicos. É importante pensar que, para ele, os conceitos científicos só se formam a partir da palavra, da linguagem, na interação com o outro. Vigotski vê ainda que há uma relação dialética entre os conceitos espontâneos e os conceitos científicos. Um conceito científico só é possível de ser construído com base em um conceito espontâneo. Por sua vez, o conceito espontâneo se expande e se enriquece à medida que é alimentado pelo científico. É isso que ele chama de movimento ascendente e descendente dos conceitos. Esse movimento dialético não acontece individual e internamente apenas, mas, antes de tudo, é um movimento do outro para o eu/do eu para o outro. Para Vigotski, portanto, há aprendizagem quando se internaliza o que foi vivenciado na relação com o outro. A internalização acontece a partir das significações construídas no processo interativo às quais o sujeito confere um sentido pessoal.

A partir das proposições de Leontiev, feitas em Uma Contribuição à Teoria do Desenvolvimento da Psique Infantil, de que o sujeito se apropria da cultura como um ser ativo, podemos compreender que seu desenvolvimento cognitivo pode ser desencadeado ao participar de uma atividade coletiva que lhe traz novas necessidades e exigências de novos modos de ação. Assim, o ensino e a aprendizagem significativos podem se tornar possíveis quando a escola favorece a inserção do aluno nesse tipo de atividade. Uma atividade que supõe indivíduos em interação, sendo o conhecimento visto de forma compartilhada. Alunos e professores participam de uma construção partilhada do saber. Assim, o conhecimento não se restringe a uma construção individual, mas sim – realizando-se no coletivo – como uma construção social. Na sala de aula não deve haver lugar para o ensinar e o aprender de forma isolada. Toda ênfase deve ser colocada no ensinar/aprender como um processo único do qual participam igualmente professores e alunos.

Na sala de aula o professor é aquele que, detendo mais experiência, pode funcionar intervindo e mediando a relação do aluno com o conhecimento. Assim, ele está, em seu esforço pedagógico, procurando criar Zonas de Desenvolvimento Proximal, isto é, atuando como elemento de ajuda, de intervenção, trabalhando junto com o aluno numa construção compartilhada do conhecimento. Dessa maneira, o desenvolvimento é olhado prospectivamente: o que importa são os processos que, embora ainda não estejam consolidados, existem embrionariamente no indivíduo. O desenvolvimento real é o conhecimento que já está construído no sujeito, o desenvolvimento já consolidado. O aluno chega ao novo conhecimento pela mediação de um outro (professor ou colega mais experiente), que age em seu campo de possibilidades, construindo junto com ele para que, depois, ele possa construir sozinho. Assim, na Zona de Desenvolvimento Proximal o professor atua de forma explícita interferindo no desenvolvimento proximal dos alunos, provocando avanços que não ocorreriam espontaneamente. Isso é aprendizagem colaborativa, compartilhada. Não é possível, dessa forma, pensar na aprendizagem como algo só interno que se externaliza, mas numa rede dialógica que parte do externo, internaliza-se e se expressa como ideias produzidas no confronto com outras ideias e pessoas.

Vigotski, com essa perspectiva de aprendizagem promotora do desenvolvimento, resgata a importância da escola e do papel do professor como agente indispensável do processo de ensino-aprendizagem. O que ocorre na escola: a ação do professor e sua ajuda através de explicações, demonstrações, exemplos, orientações, instruções, fornecimento de pistas, problematização de situações, provocação de argumentações e de reflexões críticas, são ingredientes importantes do processo de ensino que podem levar o aluno ao desenvolvimento.

É assim que Vigotski, ao considerar a aprendizagem como um processo essencialmente social, que ocorre na interação com adultos e companheiros mais experientes, destaca que as funções psicológicas humanas são construídas na apropriação de habilidades e conhecimentos socialmente disponíveis.

Essas ideias de Vigotski são complementadas por Vasili Davídov, para quem a tarefa da escola contemporânea não consiste em dar aos alunos um acúmulo de informações, mas em ensinar-lhes a orientar-se independentemente na informação científica e em outros tipos de informações, construindo conhecimentos.

Apoiado no pensamento de Davídov, José Carlos Libâneo comenta que as crianças e jovens vão à escola para aprender cultura e internalizar os meios cognitivos de compreender o mundo e transformá-lo. Para isso, é necessário pensar, ou seja, estimular a capacidade de raciocínio e julgamento, melhorar a capacidade reflexiva.

A leitura desses autores me provocou algumas indagações. Como a escola pode ajudar os alunos a se constituírem como sujeitos pensantes, capazes de pensar e lidar com conceitos, argumentar, resolver problemas, para se defrontarem com dilemas e problemas que a sociedade da informação e comunicação de hoje lhes coloca?

Para se adequar às necessidades contemporâneas que pedem novas formas de aprendizagem, especialmente àquelas relacionadas ao uso do computador e da internet, a formação inicial e continuada de professores precisa instaurar a reflexão sobre o papel mediador do professor na preparação dos alunos para o pensar.

UM NOVO AMBIENTE DE APRENDIZAGEM

Por tudo que disse até aqui, considero que computador e internet são instrumentos tecnológicos construídos pelo homem que não se configuram como meras máquinas. Eles vão muito além disso. São de fato mediadores do conhecimento enquanto ferramenta material, mas, principalmente, são mediadores do conhecimento, enquanto um instrumento simbólico, e permitem a mediação com o outro. Computador e internet abrem novas possibilidades de aprendizagem por permitirem o acesso a uma infinidade de informações, pelas formas de pensamento que são por eles potencializadas, pelas interações possibilitadas e pela interatividade que proporcionam. Portanto, eles possibilitam a construção compartilhada de conhecimento, via interatividade, de que fala Vigotski. Estimulam novas formas de pensamento no enfrentamento com a hipertextualidade neles presente pela inter-relação de diversos gêneros textuais expressados por diversas linguagens (sons, imagens estáticas e dinâmicas, textos). A plasticidade interativa própria das tecnologias digitais trazidas pelo computador e internet permite, ainda, a construção de diversos percursos de aprendizagem através da atividade do sujeito que interage com o outro e com o objeto do conhecimento.

Finalizando, computador e internet não são, por si sós, garantias de uma inovação no processo de aprendizagem escolar. Tudo depende da maneira como são usados, da mediação do professor. É essa mediação que faz toda a diferença, pois é ela que torna eficaz as duas outras mediações: a técnica e a simbólica. Nesse sentido, é importante considerar que é insustentável o receio de que a presença do computador e da internet na escola torne o professor desnecessário. Ao contrário, acentua-se, cada vez mais, a importância de sua presença, de sua mediação humana.

O diálogo com Vigotski estimula-nos, portanto, a acreditar cada vez mais na instauração de espaços reflexivos na escola que possibilitem aos professores a construção de uma posição responsável e consequente diante da incorporação no ambiente escolar desses instrumentos culturais de aprendizagem.

Excertos

CONHECIMENTO VIVO E FECUNDO

por Ana Mercês Bahia Bock

Os trechos selecionados e expostos a seguir exemplificam a riqueza e o refinamento da produção intelectual vigotskiana

A teoria histórico-cultural de Vigotski não poderia ter surgido em outro lugar que não a União Soviética da primeira metade do século XX. Havia ali ambiente e interesse social na produção de um conhecimento que tomasse as formas de produção e as relações sociais como determinantes essenciais da construção da personalidade (ou da subjetividade como preferimos dizer hoje). Um país que estava fazendo a revolução, instalando o socialismo e guiado por ideias transformadoras que valorizavam os processos e não os resultados, a história e não suas cristalizações, as relações sociais e não o indivíduo, o mundo externo e não o mundo interno. Era preciso repensar a psicologia e colocá-la em outro patamar epistemológico. É isto que significou a teoria de Vigotski: uma nova perspectiva epistemológica para a ciência do humano. De 1915 a 1934 Vigotski produziu um conjunto de textos que, sem dúvida, revolucionaram a epistemologia dominante até então. O que apresento a seguir é uma breve seleção de algumas passagens de sua vasta e instigante obra.

TEORIA E MÉTODO

"Proponho, pois, esta tese: a análise da crise e da estrutura da psicologia testemunha indiscutivelmente que nenhum sistema filosófico pode dominar diretamente a psicologia como ciência sem a ajuda da metodologia, ou seja, sem criar uma ciência geral; que a única aplicação legítima do marxismo em psicologia seria a criação de uma psicologia geral cujos conceitos se formulem em dependência direta da dialética geral, porque essa psicologia nada seria além da dialética da psicologia; toda aplicação do marxismo à psicologia por outras vias, ou a partir de outros pressupostos, fora dessa formulação, conduzirá inevitavelmente a construções escolásticas ou verbalistas e a dissolver a dialética em pesquisas e testes; a raciocinar sobre as coisas baseando-se em seus traços externos, casuais e secundários; à perda total de todo critério objetivo e a tentar negar todas as tendências históricas no desenvolvimento da psicologia; a uma revolução simplesmente terminológica. Em resumo, a uma tosca deformação do marxismo e da psicologia" ("O Significado Histórico da Crise da Psicologia". In: Vigotski, L. S. Teoria e Método em Psicologia. São Paulo: Martins Fontes, [1927] 1996, p. 392).

"Existem entre nós aqueles que pensam que o problema da 'psicologia e o marxismo' limita-se a criar uma psicologia que responda ao marxismo, mas o problema é, de fato, muito mais complexo. [...] necessária é a ainda não criada, mas inevitável, teoria do marxismo biológico e do materialismo psicológico, como ciência intermediária, que explique a aplicação concreta dos princípios abstratos do materialismo dialético ao grupo de fenômenos que trabalha. A dialética abarca a natureza, o pensamento, a história: é a ciência em geral, universal ao máximo. Essa teoria do marxismo psicológico ou dialética da psicologia é o que eu considero psicologia geral. Para criar essas teorias intermediárias – ou metodologias, ou ciências gerais – será necessário desvendar a essência do grupo de fenômenos correspondentes, as leis sobre suas variações, suas características quantitativas e qualitativas, sua causalidade, criar as categorias e conceitos que lhes são próprios, criar seu O Capital. [...] A psicologia precisa de seu O Capital [...]" ("O Significado Histórico da Crise da Psicologia", op. cit., pp. 392-393).

"Psicologia será o nome comum de toda uma família de ciências. Porque nossa tarefa não consiste, em absoluto, em diferenciar nosso trabalho de todo o trabalho psicológico do passado, mas em uni-lo num só conjunto sobre uma nova base com tudo que foi estudado cientificamente pela psicologia. [...] Essa psicologia de que falamos ainda não existe; terá de ser criada e não por uma só escola. Muitas gerações de psicólogos trabalham nisso [...] a nossa sociedade criará o homem novo. Fala-se da refundição do homem como de um traço distintivo da nova humanidade e da criação artificial de uma nova ciência biológica, porque essa nova humanidade será a única e a primeira espécie nova na biologia que se cria a si mesma [...].

Na futura sociedade, a psicologia será, na verdade, a ciência do homem novo. Sem ela, a perspectiva do marxismo e da história da ciência seria incompleta" ("O Significado Histórico da Crise da Psicologia", op. cit., p. 417).

O HOMEM

"A personalidade torna-se para si aquilo que ela é em si, através daquilo que ela antes manifesta como seu em si para os outros. Este é o processo de constituição da personalidade. Daí está claro, porque necessariamente tudo o que é interno nas funções superiores ter sido externo: isto é, ter sido para os outros, aquilo que agora é para si. Isto é centro de todo o problema do interno e do externo. [...] Para nós, falar sobre processo externo significa falar social. Qualquer função psicológica superior foi externa – significa que ela foi social; antes de se tornar função, ela foi uma relação social entre duas pessoas.

[...] Em forma geral: a relação entre as funções psicológicas superiores foi outrora relação real entre pessoas" ("Psicologia Concreta do Homem [1929]". Educação e Sociedade, ano xxi, nº 71, jul. 2000, pp. 24-25).

"Como um indivíduo só existe como um ser social, como um membro de algum grupo social em cujo contexto ele segue a estrada do desenvolvimento histórico, a composição de sua personalidade e a estrutura de seu comportamento reveste-se de um caráter dependente da evolução social, cujos aspectos principais são determinados pelo grupo" ("A Transformação Socialista do Homem [1930]". Disponível em <www.marxists.org/portugues/vygotsky/1930/mes/transformacao.htm>. Tradução de Nilson Dória, 2004. Acesso em 01/06/2010).

SIGNIFICADOS E SENTIDOS

"Começamos o nosso estudo pela tentativa de elucidar a relação interior entre o pensamento e a palavra nos estágios mais primários do desenvolvimento filogenético e ontogenético. Descobrimos que o início do desenvolvimento do pensamento e da palavra, período pré-histórico na existência do pensamento e da linguagem, não revela nenhuma relação e dependência definidas entre as raízes genéticas do pensamento e da palavra. Deste modo, verifica-se que essas relações, incógnitas para nós, não são uma grandeza primordial e dada antecipadamente, premissa, fundamento ou ponto de partida de todo um ulterior desenvolvimento, mas surgem e se constituem unicamente no processo do desenvolvimento histórico da consciência humana, sendo, elas próprias, um produto e não uma premissa da formação do homem" ("Pensamento e Palavra [1934]", op. cit., p. 395).

"Encontramos no significado da palavra essa unidade que reflete da forma mais simples a unidade do pensamento e da linguagem. O significado da palavra, como tentamos elucidar anteriormente, é uma unidade indecomponível de ambos os processos e não podemos dizer que ele seja um fenômeno da linguagem ou um fenômeno do pensamento [...] é a unidade da palavra com o pensamento" ("Pensamento e Palavra [1934]", op. cit., p. 398).

"[...] a relação entre o pensamento e a palavra é, antes de tudo, não uma coisa mas um processo, é um movimento do pensamento à palavra e da palavra ao pensamento. À luz da análise psicológica, essa relação é vista como um processo em desenvolvimento, que passa por uma série de fases e estágios, sofrendo todas as mudanças que, por todos os seus traços essenciais, podem ser suscitadas pelo desenvolvimento no verdadeiro sentido desta palavra. Naturalmente não se trata de um desenvolvimento etário e sim funcional, mas o movimento do próprio processo de pensamento da ideia à palavra é um desenvolvimento. O pensamento não se exprime na palavra mas nela se realiza. Por isto, seria possível falar de formação" (unidade do ser e do não-ser) do pensamento na palavra. ("Pensamento e Palavra [1934]", op. cit., p. 409).

"A linguagem egocêntrica não se desenvolve por uma linha de extinção mas por uma linha ascendente. Seu desenvolvimento não é uma involução mas uma verdadeira evolução [...]. Essa linguagem está mais para os processos de desenvolvimento da criança, que estão voltados para o futuro e, por sua natureza, são processos de desenvolvimento construtivos, criativos e plenos de significado positivo. Nossa hipótese vê a linguagem egocêntrica como uma linguagem interior por sua função psicológica e exterior por sua estrutura. Seu destino é transformar-se em linguagem interior" ("Pensamento e Palavra [1934]", op. cit., p. 430).

"[...] a linguagem interior surgiu por intermédio da diferenciação das linguagens egocêntrica e social da criança" ("Pensamento e Palavra [1934]", op. cit., p. 473).

"A despeito de tudo, a linguagem interior é uma linguagem, isto é, um pensamento vinculado à palavra. Mas se o pensamento se materializa em palavra na linguagem exterior, a palavra morre na linguagem interior, gerando o pensamento. A linguagem interior é, até certo ponto, um pensamento por significados puro [...]" ("Pensamento e Palavra [1934]", op. cit., p. 474).

"[...] Paulham prestou um grande serviço à análise psicológica da linguagem ao introduzir a diferença entre o sentido e o significado da palavra. Mostrou que o sentido de uma palavra é a soma de todos os fatos psicológicos que ela desperta em nossa consciência. Assim, o sentido é sempre uma formação dinâmica, fluida, complexa, que tem várias zonas de estabilidade variada. O significado é apenas uma dessas zonas do sentido que a palavra adquire no contexto de algum discurso e, ademais, uma zona mais estável, uniforme e exata. Como se sabe, em contextos diferentes a palavra muda facilmente de sentido. O significado, ao contrário, é um ponto imóvel e imutável que permanece estável em todas as mudanças de sentido da palavra em diferentes contextos. [...] o significado é apenas uma pedra no edifício do sentido" ("Pensamento e Palavra [1934]", op. cit., p. 465).

"O sentido real de cada palavra é determinado, no fim das contas, por toda a riqueza dos momentos existentes na consciência e relacionados àquilo que está expresso por uma determinada palavra" ("Pensamento e Palavra [1934]", op. cit., p. 466).

"Assim, chegamos à conclusão de que o pensamento não coincide diretamente com a sua expressão verbalizada. O pensamento não consiste em unidades isoladas como a linguagem. [...] O pensamento é sempre algo integral, consideravelmente maior por sua extensão e o seu volume que uma palavra isolada. [...] Aquilo que no pensamento existe em simultaneidade, na linguagem se desenvolve sucessivamente. Um pensamento pode ser comparado a uma nuvem parada, que descarrega uma chuva de palavras" ("Pensamento e Palavra [1934]", op. cit., p. 478).

"O próprio pensamento não nasce de outro pensamento mas do campo de nossa consciência que o motiva, que abrange os nossos pendores e necessidades, os nossos interesses e motivações, os nossos afetos e emoções. Por trás do pensamento existe uma tendência afetiva e volitiva. Só ela pode dar a resposta ao último porquê na análise do pensamento. Se antes comparamos o pensamento a uma nuvem pairada que derrama uma chuva de palavras, a continuar essa comparação figurada teríamos de assemelhar a motivação do pensamento ao vento que movimenta as nuvens" ("Pensamento e Palavra [1934]", op. cit., p. 479).

Educação e afeto

"Educar sempre significa mudar. Se não houvesse nada para mudar não haveria nada para educar" ("A Educação no Comportamento Emocional [1926]". In:Vigotski, L. S. Psicologia Pedagógica. São Paulo: Martins Fontes, 2001, p. 140).

"Todos perdemos, em consequência dessa educação, o sentimento imediato da vida e, por outro lado, o método insensível de aprendizagem dos objetos desempenhou importante papel nessa insensibilização do mundo e esterilização do sentimento [...].

A emoção não é um agente menor do que o pensamento. O trabalho do pedagogo deve consistir não só em fazer com que os alunos pensem e assimilem geografia mas também que a sintam [...].

Por outro lado, são precisamente as reações emocionais que devem constituir a base do processo educativo. Antes de comunicar esse ou aquele sentido, o mestre deve suscitar a respectiva emoção do aluno e preocupar-se com que essa emoção esteja ligada a um novo conhecimento. Todo o resto é saber morto, que extermina qualquer relação viva com o mundo" ("A Educação no Comportamento Emocional [1926]", op. cit., p. 144).

"A brincadeira é a melhor forma de organização do comportamento emocional. A brincadeira da criança é sempre emocional, desperta nela sentimentos fortes e nítidos, mas a ensina a seguir cegamente as emoções, a combiná-las com as regras do jogo e o seu objetivo final.

Assim, a brincadeira constitui as primeiras formas de comportamento consciente que surgem na base do instinto e do emocional. É o melhor meio de uma educação integral de todas essas diferentes formas e estabelecimento de uma correta coordenação e um vínculo entre elas" ("A Educação no Comportamento Emocional [1926]", op. cit., p. 147).

APRENDIZAGEM E DESENVOLVIMENTO DA CRIANÇA

"É impossível contestar o fato empiricamente estabelecido e reiteradamente verificado de que o ensino, de uma forma ou de outra, deve estar combinado ao nível de desenvolvimento da criança. [...]

Entretanto, só recentemente se deu atenção ao fato de que não podemos nos limitar a uma simples definição do nível de desenvolvimento quando tentamos esclarecer as relações reais entre o processo de desenvolvimento e as possibilidades da aprendizagem. Devemos definir ao menos dois níveis de desenvolvimento da criança, sem cujo conhecimento não conseguiremos encontrar a relação correta entre o processo do desenvolvimento infantil e as possibilidades de sua aprendizagem em cada caso concreto. Chamaremos o primeiro nível de desenvolvimento atual da criança. Temos em vista o nível de desenvolvimento das funções mentais da criança, que se formou como resultado de determinados ciclos já concluídos do seu desenvolvimento" ("O Problema do Ensino e do Desenvolvimento Mental na Idade Escolar [1926]". In: Vigotski, L. S. Psicologia Pedagógica. São Paulo: Martins Fontes, 2001, p. 478).

"O mérito essencial da imitação na criança consiste em que ela pode imitar ações que vão muito além dos limites das suas próprias capacidades, mas estas, não obstante, não são de grandeza infinita. Através da imitação na atividade coletiva, orientada pelos adultos a criança está em condição de fazer bem mais, e fazer compreendendo com autonomia. A divergência entre os níveis de solução de tarefas – acessíveis sob orientação – com o auxílio de adultos e na atividade independente determina a zona de desenvolvimento imediato da criança [ou zona de desenvolvimento proximal].

[...] O que hoje a criança faz com o auxílio do adulto fará amanhã por conta própria. A zona do desenvolvimento imediato pode determinar para nós o amanhã da criança, o estado dinâmico do seu desenvolvimento que leva em conta não só o já atingido mas também o que se encontra em processo de amadurecimento" ("O Problema do Ensino e do Desenvolvimento Mental na Idade Escolar [1926]", op. cit., p. 480).

"Esse fato [...] subverte toda a teoria da relação entre os processos de aprendizagem e desenvolvimento da criança. Em primeiro lugar, ele modifica a concepção pedagógica tradicional do diagnóstico do desenvolvimento. Antes essa questão se concebia da seguinte forma: através de testes determinava-se o nível de desenvolvimento mental da criança com a qual a pedagogia teria de contar e fora de cujos limites não devia atuar" ("O Problema do Ensino e do Desenvolvimento Mental na Idade Escolar [1926]", op. cit., p. 481).

"Ao contrário do velho ponto de vista, a teoria da zona do desenvolvimento imediato permite propor a forma oposta, segundo a qual só é boa a aprendizagem que supera o desenvolvimento" ("O Problema do Ensino e do Desenvolvimento Mental na Idade Escolar [1926]", op. cit., p. 482).

"[...] toda função psíquica superior no desenvolvimento da criança vem à cena duas vezes: a primeira como atividade coletiva, social, ou seja, como função interpsíquica; a segunda, como atividade individual, como modo interior de pensamento da criança, como função intrapsíquica" ("O Problema do Ensino e do Desenvolvimento Mental na Idade Escolar [1926]", op. cit., p. 483).

"[...] os processos de desenvolvimento não coincidem com os processos de aprendizagem, os primeiros vêm atrás dos segundos, que criam zonas de desenvolvimento imediato.

Desse ponto de vista muda também a concepção da relação entre aprendizagem e desenvolvimento. Na ótica tradicional, no momento em que a criança assimilou o sentido de alguma palavra (por exemplo, a palavra "revolução"), ou dominou alguma operação (por exemplo, a soma, a escrita), os processos de seu desenvolvimento estão basicamente concluídos. Desse novo ponto de vista esses processos apenas começam nesse momento. [...]

Nossa hipótese estabelece a unidade mas não a identidade dos processos de aprendizagem e dos processos internos de desenvolvimento. Ela pressupõe a transformação de um em outro" ("O Problema do Ensino e do Desenvolvimento Mental na Idade Escolar [1926]", op. cit., p. 486).

"[...] embora a aprendizagem esteja imediatamente relacionada ao desenvolvimento da criança, ainda assim eles nunca estão em igualdade nem em paralelismo entre si. O desenvolvimento da criança nunca segue a aprendizagem escolar como uma sombra atrás do objeto que a projeta. Por isso os testes de conquistas escolares nunca refletem a marcha real do desenvolvimento da criança. Em realidade, entre os processos de desenvolvimento e aprendizagem se estabelecem dependências dinâmicas as mais complexas, que não podem ser abrangidas por uma forma especulativa única e a priori" ("O Problema do Ensino e do Desenvolvimento Mental na Idade Escolar [1926]", op. cit., p. 487).

ESCRITA VIVA

"O gesto é o signo visual inicial que contém a futura escrita da criança, assim como uma semente contém um futuro carvalho. Como se tem corretamente dito, os gestos são a escrita no ar, e os signos escritos são, frequentemente, simples gestos que foram fixados" ("A Pré-História da Linguagem Escrita". In: Vigotski, L. S. A Formação Social da Mente. 6a ed. São Paulo: Martins Fontes, 1998, pp. 141-142).

"A segunda esfera de atividades que une os gestos e a linguagem escrita é a dos jogos das crianças. Para elas, alguns objetos podem, de pronto, denotar outros, substituindo-os e tornando-se seus signos; não é importante o grau de similaridade entre as coisas com que se brinca e o objeto denotado. O mais importante é a utilização de alguns objetos como brinquedos e a possibilidade de executar, com eles, um gesto representativo. Essa é a chave para toda a função simbólica do brinquedo das crianças" ("A Pré-História da Linguagem Escrita", op. cit., p. 143).

"A leitura e a escrita devem ser algo de que a criança necessite. [...] a escrita é ensinada como uma habilidade motora e não como uma atividade cultural complexa. Portanto, ensinar a escrita nos anos pré-escolares impõe, necessariamente, uma segunda demanda: a escrita deve ser 'relevante à vida' [...]" ("A Pré-História da Linguagem Escrita", op. cit., p. 156).

"Uma segunda conclusão, então, é de que a escrita deve ter significado para as crianças, de que uma necessidade intrínseca deve ser despertada nelas e a escrita deve ser incorporada a uma tarefa necessária e relevante para a vida. Só então poderemos estar certos de que ela se desenvolverá não como hábito de mão e dedos, mas como uma forma nova e complexa de linguagem" ("A Pré-História da Linguagem Escrita", ibidem).

"[...] o melhor método é aquele em que as crianças não aprendam a ler e escrever mas, sim, descubram essas habilidades durante as situações de brinquedo. Para isso é necessário que as letras se tornem elementos da vida das crianças, da mesma maneira como, por exemplo, a fala. Da mesma forma que as crianças aprendem a falar, elas podem muito bem aprender a ler e escrever" ("A Pré-História da Linguagem Escrita", ibidem).

Bibliografia comentada

TRADUÇÕES PUBLICADAS NO BRASIL (1984-2010)

por Achilles Delari Júnior

Num período de 26 anos, 31 títulos de Vigotski foram publicados no Brasil, distribuídos em 18 volumes distintos. Isto representa apenas cerca de 10% de sua produção

Em março de 1926, o advogado, historiador, filólogo, educador, tradutor poliglota, crítico literário Lev Vigotski está com 29 anos e já é Doutor em Ciências, com a valiosa tese Psicologia da Arte aprovada, sem defesa, desde o ano anterior. Mesmo com estes e outros tantos raros predicados, lembrados hoje em diversos relatos biográficos, sente-se isolado e anônimo em sua própria nação. Mas, bem-humorado, ironiza sua condição em carta ao amigo Aleksandr Luria (1902-1977): "Quem nos lê aqui? [...]. Eu mesmo tenho a esperança de forçar minha filha a ler meus artigos (começando aos cinco anos), mas você não tem nenhuma criança!" (carta de 5 mar. 1926). E fala sobre o "deleite" em saber que seu texto em inglês sobre "psicologia dos surdos-mudos" será lido por Sherrington e outros estudiosos europeus e norte-americanos do tema. Desde então, até a dissolução de seu grupo em 1931, ou mesmo depois até sua morte em 1934, com a publicação e leitura de bem pouco de sua vasta obra irá deleitar-se.

Em 1936, seus trabalhos saíram de circulação na ex-URSS, por força de decreto destinado a corrigir "erros pedológicos", mesmo sendo ele também um crítico severo de muito do que se veio a proibir. Apenas em 1956 alguns de seus textos voltaram a ser publicados em honrosas mas ainda tímidas iniciativas editoriais. Só de 1982 a 1984 publicam-se na URSS suas Sobranie Sotchinenii (*Собрание Сочинений*) ou Obras Reunidas, em seis tomos. Nestes volumes constam, ao todo, 54 títulos independentes, desde livros completos, com vários capítulos, a breves "teses de informe" em congressos.

Em 1996, Tamara M. Linovova publica uma compilação, segundo ela "completa", dos trabalhos de Vigotski, com 282 títulos – além do registro de 79 cartas. De fato, houve trabalhos muito importantes publicados em russo além do contemplado no plano das Obras em 1982-84. Mesmo assim, isso está longe de perfazer todo o acervo preservado nos arquivos de família do autor, que entra no cômputo da historiadora russa Tamara Lifanova.

Em passado, 2009, circulou por fóruns acadêmicos na internet um "anúncio" de lançamento da edição em 15 tomos (ou mais) das "Obras" do "Mozart da psicologia" (epíteto criado por Stephen Toulmin). Que teria como "editor-in-chef" sua neta Elena E. Kravtsova, filha de Guita L'vovna. Veem-se ali títulos ausentes no trabalho de Lifanova. Raridades, como "Cadernos Clínicos" (inclusive o da Clínica de Don, 1933-34); "Notas Marginais de Vigotski à "Ética" de Spinoza"; e o mais precoce dos trabalhos conhecidos de L. S. Vigotski (1912) devotado ao Eclesiastes.

E-mails com o conteúdo detalhado desses 15 tomos foram enviados e especificaram-se preços para a encomenda dos primeiros volumes. Mas logo tudo se adiou indefinidamente e nada de mais objetivo se pôde saber sobre o assunto, mesmo da parte de "scholars" mais próximos à família de Vigotski, como René Van der Veer ou Dorothy Robbins.

Não bastasse tal escassez de publicações mesmo em russo, o processo de tradução é demorado e repleto de limitações. A tradução ao espanhol do "Tomo I", de Madrid, mais acessível a nós que a de Havana, só veio a público em 1991, desde então chegou-se ao quinto volume só em 1997 e não há notícia do sexto, até o momento – exceto fragmentado em outros, perdendo todos os ricos posfácios, notas e índices. No Brasil, a primeira composição com textos extraídos das Obras, veio a público apenas em 1996, traduzida do espanhol, num volume "mutilado", intitulado Teoria e Método em Psicologia – preservando os méritos da fonte, mas também reproduzindo à risca as suas incorreções, das mais óbvias às mais comprometedoras.

Embora desde 1984 se publique Vigotski no Brasil, sua primeira tradução mais volumosa diretamente do russo só veio a público em 1999 – seguida de outras iniciativas importantes, mas não isentas de questionamento quanto às opções feitas pelo tradutor – não por desconhecer a língua russa, certamente, mas por sua pouca familiaridade com a psicologia, flagrante para qualquer leitor mais atento. Entre muitos méritos a reconhecer e uns tantos limites a superar, de 1984 a 2009, dos 282 títulos de Vigotski compilados por Lifanova, levantamos aqui exatamente 31 publicados no Brasil, de alguma maneira, distribuídos em 18 volumes distintos. De dois dos 31 títulos originais (História do Desenvolvimento das Funções Psíquicas Superiores; e Instrumento e Signo) há apenas alguns excertos. Seja compondo coletâneas, entrando como artigos em revistas, ou em volumes completos fiéis à organização da edição original – nós os encontramos traduzidos do inglês, do espanhol ou do russo. Certos títulos foram publicados duas vezes, traduzidos de línguas diferentes. A isto se soma uma breve carta, dentre as 73 de que se tem notícia, inserida em Vigotski e Leontiev: Ressonâncias de um Passado, artigo recente de Elisabeth Tunes e Zoia Prestes, sobre a ruptura ou não entre Vigotski e Leontiev.

Refletir sobre causas históricas, culturais, políticas, de tratamento editorial tão relapso para com um autor tido por Jerome Bruner como um "titã da psicologia" ao lado de Sigmund Freud (1856-1939) e Jean Piaget (1896-1980), não cabe aqui. Nem está em jogo "quem lê Vigotski, aqui?". Muitos o temos lido, mediante nossas condições efetivas e potenciais, atentos, como bons "estrangeiros", para os desafios que seu legado científico ainda hoje nos assinala. Deste modo, o que segue não aborda "quem" lê Vigotski aqui hoje e/ou "como", tema de outra seção desta publicação, mas faz uma breve exposição de "o que de Vigotski foi publicado no Brasil".

País de lutadores aguerridos e talentos incontestáveis, mas também de várias modalidades de desigualdade social por enfrentar, com urgência. O que nos desafia constantemente, quanto ao método e à teoria mediante os quais devemos fazê-lo. Demandas, por certo, anteriores à tarefa laboriosa (talvez ainda demasiado excêntrica/elitizada) de aprender uma língua tão linda quanto opaca para nós, como o russo de Púshkin e Dostoiévski, de Bakhtin e Vigotski.

TÍTULOS DE VIGOTSKI PUBLICADOS NO BRASIL

A data inicial é referente à da redação da obra. No final do texto relacionado está a data de sua publicação no Brasil.

1915-1916

A TRAGÉDIA DE HAMLET, PRÍNCIPE DA DINAMARCA, DE W. SHAKESPEARE

O tema desta obra não surge no vazio – há forte relação de Vigotski com o teatro, desde menino. Só se publicou na Rússia em 1968 e no Brasil em 1999. Trabalho juvenil, mas de grande densidade espiritual (subjetiva). Nele há um interesse precoce por questões metodológicas: como a distinção entre os papéis de "crítico-criador" e "crítico-leitor" – que "arranca" da obra "entonações internas" que nos apresentará como mediação para o encontro com o que ela possui de mais profundo e transcendente. Além disso, já foca temas psicológicos aos que serão retomados no futuro, como os problemas da "vivência" e do "ato volitivo".

No Brasil: A tragédia de Hamlet, príncipe da Dinamarca (1999b).

1924

"MÉTODOS DE INVESTIGAÇÃO REFLEXOLÓGICA E PSICOLÓGICA"

Texto que recupera uma das apresentações de Vigotski no II Congresso de Psiconeurologia, de 1924, na então Petrogrado. Apresenta tanto influência pavloviana, mais tarde superada quanto pontos basilares para seu trabalho posterior, como o papel fundante da alteridade na constituição da "consciência de si".

No Brasil: "Os Métodos de Investigação Reflexológicos e Psicológicos" (1996b, pp. 3-31).

"Prefácio" ao manual de Lazurski, A. F. – Psicologia Geral e Experimental

Trata-se do prefácio à 3ª edição (póstuma) de um manual introdutório. Vigotski diz ter feito correções ao texto de Aleksandr Fiodorovitch Lazurski (1874-1917) para que ficasse mais coerente com sua ideia geral – expediente bastante usado depois de sua morte por editores de seus próprios trabalhos. Seja como for, tal autor é relevante do ponto de vista metodológico. Não tanto por seu sistema qualitativo para avaliação de diferenças individuais e estabelecimento de tipologias, quanto pela noção de "experimento natural" que a tal sistema subjaz.

O prefácio, como tal, toca diferentes pontos de psicologia geral, destacando-se o tema da crise metodológica da psicologia como ciência – algo retomado detidamente em "O Sentido Histórico da Crise da Psicologia", de 1927.

No Brasil: "A Psicologia Geral e Experimental (prólogo ao livro de A. F. Lazurski)" (1996b, pp. 33-53)

PSICOLOGIA PEDAGÓGICA

Esta obra para fins didáticos, publicada em 1926, foi escrita em conexão com a experiência docente do autor em Gomel. Ele a teria apresentado para publicação em 1924 à editora estatal (GIZ), sem sucesso. No livro há claras influências da reflexologia de Pavlov, vista como perspectiva progressista. Dialoga com Freud e outros importantes nomes da psicologia da época, sem maiores confrontos. Também menciona Lev Trotski (1879-1940) quanto ao projeto de sociedade e de homem ao qual psicologia e educação devem voltar-se. Dentre os conteúdos seus relevantes para a prática pedagógica cabe destacar: (a) a relação entre organização das práticas educativas e seu papel na luta de classes; (b) a concepção de que as práticas coletivas na escola são capazes de criar "vínculos sociais que ajudem a elaborar o caráter moral" (2003, p. 220), entendendo que "educar significa organizar a vida" (idem); tanto quanto (c) a orientação de que a educação estética, ao seu turno, não deve instrumentalizar a arte em função de mensagens morais; o que se complementa com (d) a noção de que "a arte não é um complemento da vida, mas o resultado daquilo que excede a vida no ser humano" (idem, p. 233).

No Brasil: Psicologia Pedagógica (2001b; 2003).

1925

"A CONSCIÊNCIA COMO PROBLEMA DA PSICOLOGIA DO COMPORTAMENTO"

Texto não apresentado em 1924 no Congresso de "Leningrado", como disseram alguns autores, mas escrito e publicado em 1925, em coletânea organizada por K. Kornilov. O tema da "consciência" corria o risco de ser rotulado "idealista", no contexto da campanha oficial por construção de uma psicologia objetiva marxista. Contudo, já na epígrafe, o autor recorre a Marx citando uma passagem d' O Capital. Nela se alude ao "projeto mental" como imanente à própria definição do trabalho humano como tal. Por um lado, é o trabalho social que engendra a consciência (determinada pela existência social). Por outro, sem uma dimensão simbólica e/ou de planejamento mental, não há trabalho. Nesse sentido, mesmo que a abelha e aranha tenham atividades voltadas a satisfazer necessidades, jamais "trabalham". Vigotski se empenha por dizer que a consciência permanece como objeto da psicologia, já que nos diferencia de todos os outros seres. Contudo, ela não explica a si própria, nem deve permanecer inexplicável como na "velha psicologia". Cabe estudar objetivamente as condições de sua emergência.

No Brasil: "A Consciência como Problema da Psicologia do Comportamento" (1999b, pp. 52-92).

PSICOLOGIA DA ARTE

Obra que constitui tese doutoral não defendida, mas aprovada em 1925. Três gêneros literários são discutidos: (a) a fábula – discute 11 títulos de Ivan Krilov (1769-1844); (b) o conto – analisa "Hálito Leve" de Ivan Bunin (1870-1953); e (c) a tragédia – retoma Hamlet, Príncipe da Dinamarca, de Shakespeare. Aqui o tratamento metodológico não é mais o da "crítica do leitor" e sim o do "método objetivo analítico". Tem-se como objeto a especificidade estética da própria linguagem da obra na organização de suas contradições forma-conteúdo, que visam provocar determinadas emoções e não outras – dado o caráter social e não puramente idiossincrático de sua constituição. Critica as ideias de Freud sobre a relação da arte com a sexualidade e o complexo de Édipo. Visa superar análises psicologistas que focam ora a vivência subjetiva criadora do autor, ora a vivência subjetiva de fruição do leitor/espectador. Nesse sentido a arte é entendida como uma "técnica social dos sentimentos" que se realiza, portanto, como "o social em nós".

No Brasil: Psicologia da Arte (1999a).

1926

"PREFÁCIO" A THORNDIKE, E. PRINCÍPIOS DA INSTRUÇÃO BASEADOS NA PSICOLOGIA

Em "Principles of Teaching, Based on Psychology" (1906), traduziu-se teaching por obutchenie. Palavra russa que, em versões brasileiras de Vigotski, aparece como "aprendizado", "aprendizagem", "ensino", "educação", "instrução". O prefácio trata de relações profundas entre psicologia e educação: "O novo sistema não precisará se esforçar para extrair de suas leis as derivações pedagógicas nem adaptar suas teses à aplicação prática na escola, porque a solução para o problema pedagógico está contida em seu próprio núcleo teórico, e a educação [vospitanie] é a primeira palavra que menciona" (Vigotski, 1996, p. 151, grifo nosso). Entendemos tratar-se de "educação" ("vospitanie" – tb. "formação") seu sentido antropológico mais amplo, como inscrição das novas gerações em práticas culturais que são, a um só tempo, constitutivas do desenvolvimento psíquico humano – não circunscrito à instrução escolar.

No Brasil: "Prólogo à Versão Russa do Livro Princípios de Ensino Baseados na Psicologia" (1998, pp. 149-178).

"POR MOTIVO DO ARTIGO DE K. KOFFKA SOBRE INTROSPECÇÃO"

Breve artigo comentando texto de Kurt Koffka, originalmente publicado em inglês "Introspection and the Method of Psychology" no periódico The British Journal of Psychology. Nele Vigotski fala da necessidade de diálogos internacionais para que a psicologia avance como ciência.

No Brasil: "Sobre o Artigo de Koffka 'A Introspecção e o Método da Psicologia'. A Título de Introdução" (1996b, pp. 87-92).

1927

O SENTIDO HISTÓRICO DA CRISE DA PSICOLOGIA

Optamos por "sentido" por tratar-se de "smisl", não de "znatchenie". Vigotski diferenciará tais termos: o segundo, conhecemos por "significado"; e o outro, por "sentido". O tema da "crise da psicologia" fora antes levantado por psicólogos gestaltistas. Esse diz respeito à dificuldade metodológica desta ciência nascente em dar conta de seu objeto, cindido pelo dualismo que marcou a sua própria "fundação". Vigotski critica Freud e combate o ecletismo freudo-marxista.

O livro antecipa, ainda, princípios como o da análise das relações interfuncionais e da sua organização sistêmica, próprios ao pensamento mais avançado do autor. Nota-se também semelhança entre a ênfase dada depois para a palavra significativa na constituição da consciência (como sua unidade de análise e microcosmo) e a importância da linguagem para a constituição do pensamento científico.

No Brasil: "O Significado Histórico da Crise Psicologia – Uma Investigação Metodológica" (1996b, pp. 203-417).

1928

"SOBRE A QUESTÃO DA DINÂMICA DO CARÁTER INFANTIL"

Trabalho publicado em 1928 na revista Pedologuiia i Vospitanie. O problema da dinâmica do caráter é discutido basicamente tendo em conta a crítica à tipologia vigente à época, para a qual os vetores biológicos herdados eram decisivos e as relações sociais vistas apenas como "fatores" externos, que só podem "influenciá-los", seja no sentido de potencializar ou de limitar tendências inatas.

No Brasil: "Sobre a Questão da Dinâmica do Caráter Infantil" (2006, pp. 279-291).

"SOBRE A QUESTÃO DO MULTILINGUISMO NA IDADE INFANTIL"

Neste texto, enfatiza-se a necessidade de não atentarmos para as funções e/ou processos mentais em separado, mas para o desenvolvimento social da personalidade em seu conjunto estrutural e dinâmico. O que ajuda a pensar, por exemplo, processos envolvidos na gênese social do domínio de mais que uma língua. O "bilinguismo deve ser estudado em toda sua amplitude e em toda a profundidade de suas influências no desenvolvimento psíquico da personalidade da criança de forma integral" (p. 12).

No Brasil: Sobre a questão do multilinguismo na infancia (2005, pp. 11-12).

1929

"PRÉ-HISTÓRIA DA LINGUAGEM ESCRITA"

Cabe notar que aqui a palavra "linguagem" traduz "retch" – como termo que contempla não só "fala", mas também a "escrita". Se a escrita é "linguagem" sua gênese não está no puro domínio de hábitos motores, como "pré-requisitos", mas sim em atividades simbólicas, como o jogo e o desenho. Se a escrita é "linguagem", como tal deve ser significativa e cabe escrever o que faça sentido. Ela também implica uma necessidade singular de sistematização, pois supõe um interlocutor não presente no campo sensorial imediato. É, portanto, uma forma de atividade mediada por excelência, culturalmente produzida e apropriada, constitutiva de nossa existência social.

No Brasil: "A Pré-História da Linguagem Escrita" (1984 – pp. 119-134).

"PSICOLOGIA CONCRETA DO HOMEM"

Este título não foi dado por Vigotski, mas pela edição russa de anotações programáticas dele, publicada em 1986, sob a responsabilidade de Andrei Puzirei. Algumas das anotações são retomadas literalmente em "A História do Desenvolvimento das Funções Psíquicas Superiores" de 1931; e no cap. 16 da Pedologia do Adolescente, de 1930-31.

Na versão brasileira, a mesma palavra russa "tchelovek", traduzida por "homem" no título do editor russo, no corpo do texto aparecerá só uma vez como "homem" (p. 39) e nas demais como "pessoa". O plural "pessoas", na página 24, traduz o coletivo "liudi" (*люди*). "Tchelovek" significa "homem" na nossa acepção mais "genérica", sem as marcas de diferença de "gênero" que temos em português. Portanto "tchelovek" pode ser também "pessoa", "ser humano": homem ou mulher. O fato, de nesta obra, "pessoa" e "homem" poderem traduzir um mesmo termo russo não é só "curiosidade". A conceituação de "homem" está entre suas preocupações centrais, assim como a busca por definir o papel histórico da psicologia na compreensão e constituição do devir humano: do "em si" ao "para si", mediante um "para o outro".

No Brasil: "Manuscrito de 1929 [Psicologia Concreta do Homem]" (2000, pp. 21-44).

1930

ESTUDOS SOBRE HISTÓRIA DO COMPORTAMENTO (O MACACO. O PRIMITIVO. A CRIANÇA.). JUNTAMENTE COM A. R. LURIA

Segundo Valsiner e Van der Veer, trata-se de um dos principais livros da chamada "teoria histórico-cultural" elaborada e desenvolvida por Vigotski e Luria entre 1928 e 1931. Para tal teoria, o desenvolvimento humano é um entrelaçamento dialético entre duas linhas genéticas: a natural e a cultural. Esta, por sua vez, materializa-se no curso de relações sociais, historicamente constituídas ao longo de incontáveis gerações, que criam e transmitem aos mais novos práticas mediadas de relação com a natureza e com seus semelhantes.

Este livro, particularmente, tem características pouco comuns em obras de Vigotski: foi publicado antes de sua morte e pela editora estatal (GIZ), em Moscou e Leningrado; e é bastante sistemático na organização geral de suas seções. Luria contribuiu, mas não é bem uma obra "a quatro mãos".

Teoricamente, o modo de compreender o papel "signo" implica sua interposição entre um estímulo ambiental (S) e a resposta humana (R). Como Vigotski dissera antes, em trabalhos reflexológicos, o homem não pode responder a todos os estímulos. Agora se nota que, com auxílio de sistemas de signos, pode interferir ativamente sobre a produção de suas próprias respostas. Algo que o macaco não faz, o primitivo já realiza de diferentes maneiras, e a criança virá a realizar pela instrução de pessoas mais experientes. Mesmo o instrumento usado pelo ser humano não é como a vara de que um macaco se vale para alcançar uma fruta. Isto porque é próprio do ser humano "guardar a ferramenta" para usar depois, já que somos capazes não só de usá-la mas também de abstrair suas características funcionais. Dessa maneira as medições da cultura (simbólicas e instrumentais) se entrelaçam no processo histórico que cria as formas propriamente humanas de "comportamento", ou atividade.

A edição brasileira (1996) foi traduzida da americana, publicada em 1993.

No Brasil: Estudos sobre História do Comportamento: O Macaco, o Primitivo e a Criança (1996a).

IMAGINAÇÃO E CRIAÇÃO NA IDADE INFANTIL (ENSAIO PSICOLÓGICO)

Trabalho também publicado pela GIZ, Moscou e Leningrado. Trata-se de ensaio, em linguagem didática, sobre o tema da "criação" (*творчество* [tvortchestvo]) – traduzido em diferentes línguas também por termos como "criatividade", "trabalho criativo", ou mesmo "arte". Em estudos de estética literária, por exemplo, pode-se falar de "*словесное творчество* [slovesnoe tvortchestvo]" – "criação verbal".

O livro é muito rico, mas destaca-se a ideia central defendida pelo autor, contrária ao senso comum, de que a imaginação tão somente nos distancia da realidade, ao contrário, imaginação e realidade relacionam-se de modo íntimo, seja para imaginar realidades existentes no espaço, ou no tempo, termos a experiência sensorial delas.

A indicação pedagógica mais evidente de Vigotski a partir disso é a de que o desenvolvimento da imaginação não se dá onde não há interferência do meio social. E se se deixa a criança "criando" por conta própria, menos recursos terá para imaginar e ser criativa. Cabe à educação proporcionar experiências e não se omitir de intervir para que o aluno "use a imaginação".

No Brasil: Imaginação e Criação na Infância: Ensaio Psicológico: Livro para Professores (2009).

INSTRUMENTO E SIGNO

Este é outro dos principais livros da chamada "teoria histórico-cultural" – desenvolvida por Vigotski e Luria de 1928 a 1931. A datação para 1930 é incerta, aparecendo seguida de ponto de interrogação na lista de Lifanova. Sua primeira publicação russa foi em 1984, no tomo VI das Obras. No Brasil nunca foi publicada na íntegra. Mas há alguns excertos dela na coletânea A Formação Social da Mente, de 1984, traduzida do inglês Mind in Society – the Development of Higher Psychological Process, de 1978. Nota-se que o ano de publicação dos excertos no Brasil é o mesmo que da primeira publicação na Rússia. Mas não é um mérito nosso. Ocorre que se publicou antes nos Estados Unidos que na própria Rússia, por colaboração do grupo de Cole com Luria, que em 1973 já tinha sugerido a publicação de uma coletânea de Vigotski. E no Brasil se traduziu do inglês, apenas por isso a coincidência com o ano da edição russa.

Em vários textos em português "znak" está traduzida, corretamente, como "signo" – já que, em semiótica, "símbolo" se reservaria para uma modalidade específica de processo de significação. Todo símbolo é um signo, mas nem todo signo é símbolo. De todo modo, o conceito de signo nesta obra não está ainda tão desenvolvido quanto nos estudos posteriores de Vigotski, escritos pouco antes de sua morte.

No Brasil: A Formação Social da Mente (1984, caps. 1-4, pp. 21-65).

"SOBRE OS SISTEMAS PSICOLÓGICOS"

Neste momento da trajetória científica de Vigotski, a noção da organização sistêmica das funções psicológicas superiores está em elaboração. Neste texto é de particular interesse ver não as funções de modo isolado, mas sim as relações entre elas, e o papel que desempenham no conjunto da personalidade social. Ele comenta isso para diferentes processos: atenção e memória; o sonho, e o pensamento. Em síntese, a visão de qualquer função psíquica superior não existe de modo autônomo, mas como algo que ganha sentido e cumpre função na vida de uma pessoa, um homem concreto, socialmente situado..

No Brasil: "Sobre os Sistemas Psicológicos" (1999b, pp. 103-135).

1931

"TRANSFORMAÇÃO SOCIALISTA DO HOMEM [TCHELOVEK]"

Um dos poucos textos de Vigotski, daqueles a que temos acesso, em que ele toma uma posição mais explícita sobre questões relativas à organização político-econômica das sociedades. Cabe destacar que a visão de Vigotski sobre a possibilidade de produção histórica de um "novo homem socialista" confronta diretamente a visão irracionalista e vitalista de Friedrich Nietzsche (1844-1900). Vigotski é um crítico severo da cosmovisão nietzchiana, mesmo que aprecie algo de suas imagens literárias. Para o psicólogo, a criação de formas mais avançadas da vida humana não demanda o surgimento de um "além-do-homem" ("übermensch") com base em princípios biológico-evolutivos, naturais. Além disso, a concepção vigotskiana de "transformação socialista do homem" não postula relações mecânicas entre a posição das pessoas na luta de classes (ou numa futura sociedade sem classes) e a gênese social de sua personalidade. Se vivo numa sociedade de classes e sou de classe trabalhadora, não implica mecanicamente que minha personalidade se desenvolva exclusivamente como "de trabalhador". Para além disso, ocorre que o desenvolvimento da personalidade implica a incorporação de todo o conjunto de lutas sociais próprio do momento histórico em que se vive. Tal reflexão, por um lado, abre perspectivas, por não vermos a reprodução de certas formas de agir como inevitáveis – como uma suposta atitude de "subordinação" e "acomodação" do expropriado, ou de "indiferença" e "mesquinhez" do que o expropria. Por outro lado, nos põe em constante desafio, pois se nossas personalidades se constituem da própria luta entre classes, todos os traços das diferentes posições de classe irão conviver em nós mesmos, em luta permanente, e ninguém poderá se ver suficientemente distanciado desse processo a ponto de sentir-se, desde já, um "novo homem" ou uma "nova mulher".

No Brasil: "A Transformação Socialista do Homem" (2004; 2006b).

HISTÓRIA DO DESENVOLVIMENTO DAS FUNÇÕES PSÍQUICAS SUPERIORES

Publicação póstuma. Sua primeira edição foi em 1960 – só com cinco capítulos. Com 15 capítulos veio a público apenas nas Obras – no Tomo 3, em 1983. No Brasil só se publicou um único, embora importante, excerto. Trata-se do trabalho que compõe o capítulo 5 de "A Formação Social da Mente". De modo geral, este é outro dos mais importantes livros da "teoria histórico-cultural". Portanto, também se pauta num modelo estímulo–mediador–resposta. Porém, temas menos transitórios também se apresentam, como o da volição em sua relação com a liberdade humana.

Ao final do livro, há ainda um capítulo desafiante e programático sobre os temas "visão de mundo" e "personalidade", vistos como essenciais para o desenvolvimento futuro da psicologia.

No Brasil: "Problemas de Método" (1984 – cap. 5, pp. 67-85).

"PREFÁCIO AO LIVRO DE A. N. LEONTIEV - DESENVOLVIMENTO DA MEMÓRIA"

O livro de Leontiev é publicado em 1931 pela Utchpedgiz, em Moscou e Leningrado. Mas Vigotski tivera acesso antes ao desenvolvimento da própria pesquisa – como se vê no capítulo 3 de A Formação Social da Mente extraído de Instrumento e Signo, segundo Cole. O leitor ali encontrará relatos de experimentos com uso de cartões coloridos como "segunda série de estímulos" como auxiliares para a memória. O que vai na linha de Vigotski para o chamado "método da dupla estimulação". Entre os "estímulos-objeto" que impactam de modo imediato sobre o sujeito, e suas respostas, coloca-se uma segunda série com os chamados "estímulos-meio" (ou signos). Sua utilização se realiza ativamente pelo próprio sujeito. Isto também se pauta no modelo "estímulo-mediador-resposta" (S-X-R) próprio da "teoria histórico-cultural", apontado em outros comentários. Neste método é relevante sua inclusão entre os "experimentos de ensino", nos quais não só se estudam processos já formados, mas cria-se na relação entre a pesquisa e o sujeito da pesquisa condições sociais para a emergência de tais processos.

A apreciação geral de Vigotski sobre o trabalho de Leontiev é bastante positiva, dando destaque ao seu caráter ainda inicial mas já inovador, pois supera modelos naturalistas para a compreensão deste objeto de estudo e aborda algo muito pouco discutido até então: "a memória do homem"(p. 170, grifo do autor). De uma perspectiva sistêmica, será só como sendo "de um homem" (de uma pessoa), que determinada função psíquica superior importa, para a psicologia histórico-cultural.

No Brasil: "Desenvolvimento da Memória (prefácio ao livro de A. N. Leontiev)" (1996b, p. 161-170).

"O JOGO E SEU PAPEL NO DESENVOLVIMENTO PSÍQUICO DA CRIANÇA"

Para Vigotski, onde houver uma atividade humana que cria uma situação imaginária, há jogo. Sendo assim, o jogo (brincadeira) não se origina da imaginação, como se crê no senso comum, mas é a própria condição social de sua gênese. Em carta para Elkonin (1904-1984), Vigotski abrevia: "No jogo ecce homo" ("no jogo – eis o homem"). Além de afirmar que "só o homem 'joga' ou 'brinca'", também sugere que é "brincando" ou "jogando" que vimos a ser propriamente humanos. Modo de pensar correlato à busca, nas anotações de 1929, em definir o que venha a ser o homem (pessoa). A "psicologia humaniza-se", diz Vigotski quando deixa de priorizar processos psíquicos abstratos e/ou estruturas impessoais. Quando passa, portanto, a priorizar a personificação do drama de papéis sociais constituído/constituinte de um conflito exclusivo do humano. Assim, também se pode deduzir que: no drama ecce homo.

No Brasil: "O Papel do Brinquedo no Desenvolvimento" (1984 – cap. 7); "A Brincadeira e seu Papel no Desenvolvimento Psíquico da Criança" (2008).

1932
"CONFERÊNCIAS DE PSICOLOGIA"

Estes registros de conferências de Vigotski só foram publicados pela primeira vez em 1960 no volume Desenvolvimento das Funções Psíquicas Superiores [Razvitie Visshikh Psikhitcheskikh Funktsii] em Moscou pela APN. Material bastante completo organizado em seis conferências sobre temas clássicos em psicologia geral: 1. Percepção; 2. Memória; 3. Pensamento; 4. Emoções; 5. Imaginação; e 6. Vontade. Todos vistos da perspectiva de seu desenvolvimento na idade infantil.

No Brasil: "O Desenvolvimento Psicológico na Infância" (1998 – caps. 1 a 6, pp. 3-146).

1933
"O PROBLEMA DA CONSCIÊNCIA"

O material que compõe este trabalho, disponível no Brasil desde 1996, é bastante fragmentário. Nele alternam-se anotações feitas por Leontiev e Zaporojets (1905-1981), algumas das quais transcrevendo literalmente palavras de Vigotski, ditas em encontros do grupo, mas não registradas por ele. É um texto "enigmático" e "criptografado", mas rico em insights importantes para os meses restantes de vida e trabalho para Vigotski. Algo fundamental que ali se registra é uma reformulação da concepção de signo, quando se afirma que antes não se enfatizava que o signo tinha significado.

Em termos epistemológicos, critica-se, mais uma vez, a psicanálise ("psicologia profunda"), não por detalhes empíricos, mas por sua pauta programática – ao orientar-se prioritariamente para o que é imutável no desenvolvimento, suas raízes biológicas profundas. O projeto de Vigotski e seu grupo desenhava-se em direção diametralmente oposta: ir em busca dos "cumes", dos pontos mais elevados do desenvolvimento do psiquismo, aos quais o ser humano se dirige em seu devir histórico e cultural.

No Brasil: "O Problema da Consciência" (1996b, pp. 171-189).

1934

"A PSICOLOGIA E A TEORIA ['DOUTRINA'] DA LOCALIZAÇÃO DAS FUNÇÕES PSÍQUICAS"

Texto resultante de uma apresentação realizada em Kharkov, no I Congresso de Psiconeurologia de toda a Ucrânia, em junho de 1934, pouco antes da morte do autor. É também um trabalho que lança bases para desenvolvimento futuro da psicologia. Vigotski discute questões advindas da experiência com casos clínicos, e está bastante ocupado com a organização sistêmica das funções mentais para compreendê-los. Nisto sua abordagem contrasta com tendências tradicionais focadas na catalogação de sintomas e no estabelecimento de rótulos, que reduz a tarefa complexa do diagnóstico a um trabalho mecânico, puramente descritivo e quantitativo. Orientando sua compreensão por uma análise genético-causal e qualitativa, o autor apresenta conceitos sobre o desenvolvimento das funções cerebrais que serão desenvolvidos minuciosamente por Luria mais tarde. Basicamente o papel das diferentes áreas corticais, das primárias às terciárias, no sistema integral de funções psíquicas, é mutável ao longo da ontogênese. Suas relações hierárquicas se modificam, o que de início subordina, mas tarde é subordinado, e vice-versa.

No Brasil: "A Psicologia e a Teoria da Localização das Funções Psíquicas" (1996b, pp. 191-200).

"O PROBLEMA DA INSTRUÇÃO [OBUTCHENIE] E DO DESENVOLVIMENTO MENTAL NA IDADE ESCOLAR"

Texto publicado pela primeira vez no ano de 1935, em Moscou e Leningrado. Na lista de Lifanova só encontramos um título russo para esta obra. Mas no Brasil há duas publicações distintas tratando desta temática: "Interação entre Aprendizado e Desenvolvimento" (capítulo 6 de A Formação Social da Mente, 1984) e "Aprendizagem e Desenvolvimento Intelectual na Idade Escolar" (1988). Só um cotejo mais detalhado entre os dois textos e deles com a fonte russa permitirá entender melhor as contribuições e limites de cada um. Há pelo menos uma distinção relevante. No de 1984, distinguem-se mais nitidamente três conceitos para pensar as relações entre desenvolvimento e "obutchenie": 1. "nível de desenvolvimento real"; 2. "nível de desenvolvimento potencial"; e 3. "zona de desenvolvimento proximal" – definida como "distância" entre os dois primeiros (1984, p. 97). Enquanto no de 1988 a diferença entre os dois "níveis" é nomeada como "área de desenvolvimento potencial". O que talvez dificulte entender que tal "área" [zona blijaishego razvitiia] não é o mesmo que o "nível de desenvolvimento potencial" – sendo esta não só uma questão de traduzir o mesmo conceito com diferentes palavras, mas de dizer algo distinto.

No primeiro texto, a metáfora espacial da "distância" favorece a interpretação de ser algo como uma "ponte" e/ou via de "conexão", como aponta Valsiner em Developmental Psychology in the Soviet Union, entre dois momentos distintos do mesmo processo histórico de desenvolvimento – construída/estabelecida pela relação social entre uma pessoa e outras mais experientes. Enquanto no texto posterior, tal noção de intermediação não está tão evidente. Mesmo assim, nas duas versões nota-se a defesa, por parte de autor, de uma mesma concepção geral sobre as relações dialéticas entre "desenvolvimento das funções psíquicas superiores" e "processo sistemático de ensino-aprendizado" (instrução). A concepção de que novas formas de organização sistêmica das relações interfuncionais emergem das relações sociais como força motriz e/ou princípio explicativo do desenvolvimento humano – e não apenas como um "fator" ou um "pano de fundo". Tais relações proporcionam à criança, ao adolescente, ao ser humano, um "salto para o futuro" mediante a atividade partilhada com um "outro social" mais experiente (não necessariamente mais velho).

A "instrução", formal ou não formal, gera desenvolvimento, o impulsiona adiante, e deve "adiantar-se" ao que se aguarda dele para dado momento ontogenético. Contudo, não em demasia, pois trata-se de avanço para um futuro bem "próximo" e não "remoto" – muito além das capacidades atuais da pessoa. É importante lembrar que "*ближайший*" [blijaishii] é um "superlativo absoluto" de "próximo" (*близкий* [bliskii]) – como "nearest" ou "closest", em inglês – não apenas "muito próximo", mas "o mais próximo de todos". No Brasil: "proximal" (Vigotski, 1984); "imediato" (Vigotski, 2001); "iminente" (Vigotski, 2008); nas "Obras em espanhol, apenas "próximo"; etc. Tais diferenças nos modos de nomear algo quanto ao seu "grau" de proximidade, no tempo (mais para "logo" que para "depois" – "iminente") ou no espaço (mais para "central" que para "periférico" – "proximal"), não são tão profundas a ponto de alterar a proposição conceitual comum às duas versões.

No Brasil: "Interação entre Aprendizado e Desenvolvimento" (capítulo 6 de A Formação Social da Mente, 1984, p. 89-103) e "Aprendizagem e Desenvolvimento Intelectual na Idade Escolar" (1988, pp. 103-117)

PENSAMENTO E LINGUAGEM

Obra considerada bastante importante pelo tratamento apurado das complexas relações entre pensamento e linguagem. Mesmo não aparentando, também é uma coletânea, que reúne trabalhos de vários anos, mas difere de outras por ter sido organizada, ao que tudo indica, segundo plano do próprio autor, o qual lhe garante uma unidade temática. Ao longo do texto podem-se notar repetições, reentrâncias e mesmo alguns desencontros no modo de pensar o objeto de estudo. Some-se a isso problemas relativos à transcrição de atas taquigráficas de partes da obra que teriam sido ditadas pelo autor, já em seu leito de morte. Não tivesse morrido antes, sua publicação talvez pudesse ter sido revisada. A partir de estudo de Minick, "The Development of Vygotsky's Thought: an Introduction", obtém-se a datação dos capítulos como se segue: capítulo 1 (O Problema e o Método de Investigação), 1934 – explica a análise por unidades; capítulo 2 (A Linguagem e o Pensamento da Criança na Teoria de Piaget), 1932 – discute as relações genéticas entre o individual e o social; capítulo 3 (O Desenvolvimento da Linguagem na Teoria de Stern), 1929 – questiona relações entre linguagem e personalidade; capítulo 4 (As Raízes Genéticas do Pensamento e da Linguagem), 1929 – mostra que as ligações pensamento-linguagem modificam-se ao longo do desenvolvimento; capítulo 5 (Estudo Experimental do Desenvolvimento dos Conceitos), 1931 – apresenta as noções de sincretismo, pensamento por complexos, pseudo-conceitos e conceitos propriametne ditos; capítulo 6 (Estudo do Desenvolvimento dos Conceitos Científicos na Infância), 1933-34 – explica relações entre conceitos científicos e cotidianos; e capítulo 7 (Pensamento e Palavra), 1934 – abre várias possibilidades de investigação futura, como um testamento intelectual do autor.

No Brasil: Pensamento e Linguagem (1987) e A Construção do Pensamento e da Linguagem (2001)

Referências bibliográficas

Aguiar, W. M. J.; Ozella, S. "Núcleos de Significação como Instrumento para a Apreensão da Constituição dos Sentidos". Revista Psicologia, Ciência e Profissão, v. 26, nº 2, 2006, pp. 223-244.

Alphalex Portuguese-Russian and Russian-Portuguese Eletronic Dictionary. Version 5.0. Moscow: Media Lingua Corporation, 2005.

Bakhtin, M. M. Hacia una Filosofía del Acto Ético de los Borradores. Y Otros Escritos. San Juan: Universidad de Puerto Rico, [1920-24] 1997.

Bakhtin, M. M. Estetika Slovesnogo Tvortchestva. Moskva: Iskusstvo, 1979.

Bakhtin, M. Estética da Criação Verbal. São Paulo: Martins Fontes, 2003.

Bakhtin, M. Marxismo e Filosofia da Linguagem. São Paulo: Hucitec, 1988.

Baldwin, J. M. "The Origin of a "Thing" and its Nature". Psychological Review, nº 2, pp. 551-572, 1895.

Blanck, G. "Vida y Obra de Vigotski". In: Blanck, G. (ed.) Vigotski. Memoria y Vigencia. Buenos Aires: Cultura y Cognición, 1984.

Blank, G. "Prefácio, comentários e notas". In: Vigotski, L. S. Psicologia Pedagógica. Porto Alegre: Artmed, 2003.

Bottomore, T. (ed.) Dicionário do Pensamento Marxista. Rio de Janeiro: Jorge Zahar Editor, 1983.

Clot, Y. "Psychopathologie du Travail et Clinique de l'Activité". Número spécial "Clinique de l'Activité et Pouvoir d'Agir".

Education Permanente, nº 146, 2001, pp. 35-41.

Clot, Y. La Fonction Psychologique du Travail. Paris: PUF, 1999.

Cole, M.; Scribner, S. In: Vygotsky, L. S.
A Formação Social da Mente. São Paulo: Martins Fontes, 1989.

Cole, M.; Gajdamaschko, N. "Vygotsky and Culture". In:
Daniels, Harry; Cole, Michael; Wertsch, James V. (orgs.). The
Cambridge Companion to Vygotsky.
New York: Cambridge University Press, 2007.

Davídov, V. La Enseñanza Escolar y el Desarrollo Psíquico.
Moscou: Editorial Progreso, 1988.

Durand, M.; Saury, J.; Veyrumes, P. "Relações Fecundas entre
Pesquisa e Formação Docente: Elementos para um Programa".
Cadernos de Pesquisa, v. 35, nº 125, mai.-ago. 2005, pp. 37-62.

Foucault, M. Nietzsche, Freud & Marx. Theatrum Philosoficum.
São Paulo: Princípio, 1997.

Friedgut, T. H.; Kotik-Friedgut, B. "A Man of his Country and
his Time: Jewish Influences on Lev Semionovich Vygotsky's
World View. History of Psychology, vol. 11, nº 1, 2008, pp. 15-
39.

Góes, M. C. R.; Smolka, A. L. B. A Significação nos Espaços
Educacionais. Campinas: Papirus, 1997.

Góes, Maria Cecília R. de. "A Natureza Social do
Desenvolvimento Psicológico". Cadernos Cedes. Campinas, nº
24, mar. 1991, pp. 17-24.

Hegel, F. W. Hegel: Textos Escolhidos. Organização Roland
Corbisier. Rio de Janeiro: Civilização Brasileira, 1981.

Janet, P. L'Evolution Psychologique de la Personnalité. Paris: A. Chachine, 1929.

Kozulin, A. Vygotsky's Psychology - a Biography of Ideas. Cambridge: Harvard University Press, 1990.

Kozulin, A. La Psicologia de Vygotski. Madri: Alianza Editorial, 1994.

Leontiev, A. N. "Carta de Leontiev a Vigotski". In: Prestes, Z. R.; Tunes, E. "Vigotski e Leontiev: Ressonâncias de um Passado". Cadernos de Pesquisa, v. 39, nº 136, jan./abr. 2009.

Leontiev, A. N. Actividad, Conciencia, Personalidad. Habana: Pueblo y Educación. 1980.

Leontiev, A. N. O Desenvolvimento do Psiquismo. Trad. Manuel D. Duarte. Lisboa: Livros Horizonte, 1978.

Leontiev, A. N. "Uma Contribuição à Teoria do Desenvolvimento da Psique Infantil". In: Vigotski, L. S., Luria, A . R. e Leontiev, A. N. Linguagem, Desenvolvimento e Aprendizagem. São Paulo: Ícone Editora, 1992.

Libâneo, J. C. "A Didática e a Aprendizagem do Pensar e do Aprender: a Teoria Histórico-Cultural da Atividade e a Contribuição de Vasili Davidov". Revista Brasileira de Educação, nº 27, set.-dez 2004, pp. 5-24.

Lifanova, T. M. Polnaia Bibliografiia trudov L'va Semionovitcha Vigotskogo. In: Vopr. Psikhologuii, nº 5, 1996, pp. 137-157.

Luria, A. R. Pensamento e Linguagem: as Últimas Conferências de Luria. Porto Alegre: Artes Médicas, 1986.

Luria, A. R. Curso de Psicologia Geral. Trad. Paulo Bezerra. 2ª ed. Rio de Janeiro: Civilização Brasileira, 1991 (v. 1: Introdução evolucionista à psicologia).

Marx, K. O Capital: Crítica da Economia Política, v. I – Livro primeiro (O Processo de Produção do Capital), t. 1 (Prefácios e Capítulos I a XIII). São Paulo: Abril Cultural, 1983 (Os economistas).

Marx, K. e Engels, F. "Excertos de A Ideologia Alemã". In: Fromm, E. Conceito Marxista de Homem. Rio de Janeiro: Zahar, 1983.

Marx, Karl; Engels, F. A Ideologia Alemã. Trad. José Carlos Bruni e Marco A. Nogueira. 3ª ed. São Paulo: Ciências Humanas, 1982.

Marx, K. "El Editorial del Numero 179 de la Gaceta de Colônia". In: Marx, K; Engels, F. Obras Fundamentales: Marx, Escritos de Juventud. México: Fondo de Cultura Económica, 1982, v. 1.

Mead. G. H. Espiritu, Persona y Sociedad. Buenos Aires: Paidós, 1972.

Minick, N. "The Development of Vygotsky's Thought: an Introduction". In: Vigotski, L. S. The Collected Works of L. S. Vygotsky, v. 1. New York: Plenum Press, 1987, pp. 17-34.

Morato, M. E. "Linguagem, cultura e cognição: contribuições dos estudos neurolinguisticos". In: Linguagem, Cultura e Cognição – Reflexões para o Ensino de Ciências. Belo Horizonte: ANAIS (Encontro sobre Teoria e Pesquisa em Ensino de Ciências, UFMG), 1997.

Nietzsche, F. W. Assim Falou Zaratustra. In: Nietzsche, F. W. Nietzsche – Obras Incompletas. 2ª ed. São Paulo: Abril Cultural. 1978 (Os Pensadores).

Oliveira, M. K. de. Vygotsky: Aprendizado e Desenvolvimento –

um Processo Sócio-Histórico.
São Paulo: Scipione, 4ª ed., 2008.

Oliveira, Z. M. R. Jogos de Papéis: uma Perspectiva para Análise do Comportamento Humano. São Paulo: Tese de Doutoramento. Instituto de Psicologia da USP, 1988.

Pino, A. "O Conceito de Mediação Semiótica em Vygotsky e seu Papel na Explicação do Psiquismo Humano". Cadernos CEDES, nº 24, Campinas: Papirus, 1991.

Pino, A. As Marcas do Humano. S.Paulo: Cortez, 2005.

Pino, A. "As Categorias de Público e Privado na Análise do Processo de Internalização". Educação & Sociedade. Campinas, Ano XIII, nº 42, ago. 1994, pp. 315-327.

Pino, A. "O Social e o Cultural na Obra de Lev S.Vigotski". Educação & Sociedade. Campinas, Ano XXI, nº 71, jul. 2000, pp. 45-78.

Prestes, Z. R. Quando Não É Quase a Mesma Coisa: Análise de Traduções de Lev Semionovitch Vigotski no Brasil - Repercussões no Campo Educacional. Brasília: Tese de Doutorado. Faculdade de Educação da Universidade de Brasília, 2010.

Prestes, Z. R.; Tunes, E. "Vigotski e Leontiev: Ressonâncias de um Passado". Cadernos de Pesquisa, v. 39, nº 136, jan./abr. 2009.

Rego, T. C. Vygotsky: uma Perspectiva Histórico-Cultural da Educação. Petrópolis: Vozes, 21ª ed., 2010.

Rivière, A. La Psicología de Vygotski. Madrid: A. Machado Livros, 2002.

Roger, D.; Roger, J-L.; Yvon, F. "Interrogation pour une Analyse de l'Activité Enseignante". Revue Education Permanente. França: Arcueil, nº 146, 2001.

Roger, J. L. Refaire son Métier: Essays de la Clinique de l'Activité. Ramonville Sant-Agne: Érès, 2007.

Sforni, M. S.F. Aprendizagem Conceitual e Organização do Ensino: Contribuições da Teoria da Atividade. Araraquara: JM Editora, 2004.

Silva, M. Sala de Aula Interativa. Rio de Janeiro: Quartet, 2002.

Smolka, A. L. B. "Biografia: Vigotski – Arte e Vida". In: Vigotski. Imaginação e Criação na Infância. São Paulo: Ática, 2009.

Smolka, A. L. B. "Internalização: seu Significado na Dinâmica Dialógica". Educação & Sociedade. Campinas, Ano XIII, nº 42, 1994, pp. 328-341.

Smolka, A. L. B. "O (Im)próprio e o (im)pertinente na Apropriação das Práticas Sociais". Cadernos Cedes. Campinas, nº 50, 2000, pp. 26-40.

Toulmin, E. "El Mozart de la Psicologia". In: Blanck, G. (Ed.) Vigotski. Memoria y Vigencia. Buenos Aires: Cultura y Cognición, 1984.

Valsiner, J. Developmental Psychology in the Soviet Union. Bringhton: Harvester Press, 1988.

Valsiner, J.; Van der Veer, R. Vygotsky: uma Síntese. Trad. Cecília C. Bartalotti. São Paulo: Loyola/Unimarco, 1996.

Valsiner, J.; Van der Veer, R. Understanding Vygotsky: a Quest for Synthesis. Cambridge: Blackwell, 1991

Veresov, N. N. Undiscovered Vygotsky: Etudes on the Pre-

History of Cultural-Historical Psychology. Frankfurt am Main, Berlin, Bern, Bruxelles, New York, Wien: Peter Lang, 1999.

Vygotsky, L. S. A Formação Social da Mente. Trad. José C Netto; Luis S. Menna-Barreto; Solange Castro. São Paulo: Martins Fontes, 1984.

Vygotsky, L. S. Pensamento e Linguagem. Trad. Jeferson L Camargo. São Paulo: Martins Fontes, 1987.

Vigotskii, L. S. "Aprendizagem e Desenvolvimento Intelectual na Idade Escolar". In: Leontiev, A. N.; Luria, A. R.; Vigotski, L. S. Linguagem, Desenvolvimento e Aprendizagem. Trad. Maria da Penha Villalobos. São Paulo: Ícone, 1988.

Vygotsky, L. S. Estudos sobre a História do Comportamento: o Macaco, o Primitivo e a Criança. Trad. Lólio L. de Oliveira. Porto Alegre: Artmed, 1996.

Vigotski, L. S. Teoria e Método em Psicologia. Trad. Claudia Berliner. São Paulo: Martins Fontes, 1996.

Vigotski, L. S. O Desenvolvimento Psicológico na Infância. Trad. Claudia Berliner. São Paulo: Martins Fontes, 1998.

Vigotski, L. S. Psicologia da Arte. Trad. Paulo Bezerra. São Paulo: Martins Fontes, 1999.

Vigotski, L. S. A Tragédia de Hamlet, Príncipe da Dinamarca. Trad. Paulo Bezerra. São Paulo: Martins Fontes, 1999.

Vigotski, L. S. "Manuscrito de 1929 [Psicologia Concreta do Homem]". Trad. Alexandra Marenitch. Educação & Sociedade, ano XXI, nº 71, julho/2000.

Vigotski, L. S. A Construção do Pensamento e da Linguagem. Trad. Paulo Bezerra. São Paulo: Martins Fontes, 2001.

Vigotski, L. S. Psicologia Pedagógica. Trad. do russo: Paulo Bezerra. São Paulo: Martins Fontes, 2001.

Vigotski, L. S. Psicologia Pedagógica. Trad. do espanhol: Claudia Schilling. Porto Alegre: Artmed, 2003.

Vygotsky, L. S. "A Transformação Socialista do Homem". Trad. do inglês: Nilson Dória. In: Portal Marxists. org., 2004. Disponível em <www.marxists.org/portugues/vygotsky/1930/mes/transformacao.htm>. Acesso em 5/7/2010.

Vigotski, L. S. "Sobre a Questão do Multilinguismo na Infância". Trad. Zoia Prestes. Teias. Rio de Janeiro, ano 6, nº 11-12, jan.-dez 2005.

Vigotski, L. S. "Sobre a Questão da Dinâmica do Caráter Infantil". Trad. Zoia Prestes. Linhas Críticas, v. 12, nº 23, jul.-dez. 2006.

Vygotski, L. S. Obras Escogidas. Madrid: Visor/ Visor y Ministerio de Educación y Ciencia, 1995.

Vygotski, L. S. "La Conciencia como Problema de la Psicología del Comportamiento". In: Vigotski, L. S. Obras Escogidas. Tomo I. Madrid: Visor y Ministerio de Educación y Ciência, [1925] 1991.

Vigotski, L. S. "A Consciência como Problema da Psicologia do Comportamento". In: Vigotski, L. S. Teoria e Método em Psicologia. São Paulo: Martins Fontes, 1996.

Vigotski, L. S. "Soznanie kak Problema Psikhologii Povedeniia". In: Vigotski, L. S. Psikhologia Razvitiia Tcheloveka. Moskva: Smisl, Eksto, [1925] 2005.

Vygotsky, L. S. "L. S. Vygotsky: Letters to Students and Colleagues [To A.R. Luria Zakhar'ino Sanatorium, 14 March 5,

[19]26]". Journal of Russian and East European Psychology, vol. 45, no 2, mar.–apr. 2007, pp. 11-60.

Vygotski, L. S. "Prólogo a la Versión Russa del Libro de E. Thorndike "Principios Enseñanza Basados a la Psicología". In: Vigotski, L. S. Obras Escogidas. Madrid: Visor/ Aprendizaje y Ministerio de Cultura y Ciência, [1926], 1991.

Vygotski, L. S. "La Crisis de los Siete Años". Obras Escogidas. Madrid: Visor y A. Machado Libros, [1933-34] 2006.

Vygotsky, L. S. "The Problem of the Environment". In: Vigotski, L. S. The Vigotski Reader. Edited by Rene Van der Veer and Jaan Valsiner. Oxford/Cambridge: Blackwell, [1935] 1994.

Vygotsky, L. S. Mind in Society. Cambridge: Harvard University Press, 1978.

Vygotsky, L. S.; Luria, Alexander R. Ape, Primitive Man, and Child: Essays in the History of Behavior. Trad. Evelyn Rossiter. London: Harvester Wheatsheaf, 1992.

Vigotski, L. S. "Historia del Desarollo de las Funciones Psíquicas Superiores". In: Vigotski, L. S. Obras Escogidas. 2ª ed. Madrid: Visor, [1931] 2000.

Vigotski, L. S. Teoría de las Emociones: Estudio Histórico-Psicológico. Madrid: Akal, [1931-33] 2004.

Vigotski, L. S. "Los Métodos de Investigación Reflexológicos y Psicológicos". In: Vigotski, L. S. Obras Escogidas. Tomo I. Madrid: Visor y Ministerio de Educación y Ciência, [1924], 1991.

Vigotski, L. S. "El Significado Historico de la Crisis de la Psicologia". In: Vigotski, L. S. Obras Escogidas. Tomo I. Madrid: Visor/ Aprendizaje y Ministerio de Cultura y Ciência, [1927] 1991.

Vigotski, L. S. "Anexo. Fragmento de los Apuntes de L. S. Vygotski para unas Conferencias de Psicologia de los Parvulos". In: Elkonin, D. B. Psicología de Juego. Madrid: Visor/ Aprendizaje y Ministerio de Cultura y Ciência, 1980.

Voinova, N. e Starets, S. Dicionário Prático Russo-Português. Moscou: Russki Yazik, 1986.

Wallon, H. Do Acto ao Pensamento. Ensaio de Psicologia Comparada. Porto: Portucália Editora, 1966.

Wertsch, J. V. Vigotski y la Formación Social de la Mente. Barcelona, Buenos Aires y México: Paidós, 1989.

Wertsch, J. V. Vygotsky and the Social Formation of Mind. Fifth printing. Cambridge: Harvard University Press, 1994.

Wertsch, J. V. "Mediation". In: Daniels, Harry; Cole, Michael; Wertsch, J. V. (org.). The Cambridge Companion to Vigotski. Nova York: Cambridge University Press, 2007.

Yaroshevsky, M. Lev Vigotski. Moscou: Progress Publishers, 1989.